Le destin des sorciers

enigmae.com

Le destin des sorciers

Anne Bernard-Lenoir

la courte échelle

Les éditions de la courte échelle inc.
5243, boul. Saint-Laurent
Montréal (Québec) H2T 1S4
www.courteechelle.com

Révision : Leïla Turki

Conception graphique :
L'atelier Lineski

Dépôt légal, 3ᵉ trimestre 2010
Bibliothèque nationale du Québec

La courte échelle reconnaît l'aide financière du gouvernement du Canada par l'entremise du Fonds du livre du Canada pour ses activités d'édition. La courte échelle est aussi inscrite au programme de subvention globale du Conseil des Arts du Canada et reçoit l'appui du gouvernement du Québec par l'intermédiaire de la SODEC.

La courte échelle bénéficie également du Programme de crédit d'impôt pour l'édition de livres – Gestion SODEC – du gouvernement du Québec.

Catalogage avant publication de Bibliothèque et Archives nationales du Québec et Bibliothèque et Archives Canada

Bernard-Lenoir, Anne

Enigmae.com

    Sommaire : t. 2. Le destin des sorciers.
    Pour les jeunes de 10 ans et plus.

    ISBN 978-2-89651-425-0 (v. 2)

    I. Titre. II. Titre : Le destin des sorciers.

PS8603.E72E54 2010   jC843'.6   C2010-940600-1
PS9603.E72E54 2010

*L'hérétique n'est point celui qui brûle dans la flamme,
mais celui qui allume le bûcher.*

WILLIAM SHAKESPEARE (1564–1616)

Le temps presse, et je ne peux avancer plus vite. S'ils me protègent de l'air froyd de la vallée, les lourds jupons dont Aldegonde m'a affublée entravent chacun de mes pas. En traversant le ruisseau au triste passé pour couper à travers champs, j'ai su estre prudente, éviter les trous d'eau et lutter contre la force du courant glacial. Mais la boue des pâturages est invisible, et mes sabots s'enfoncent dans les marécages en faisant des bruits de ventouse sans que je ne puisse rien y faire. Je prie pour que ce monstre respirant sous moy n'aspire pas l'une de mes galoches jusqu'aux profondeurs de la terre.

J'ai caché mes affaires sous les broderies que je suis censée vendre, et le bâton de ce baluchon pesant meurtrit mon épaule. Je souffle, l'âme en peine, et mes jambes me font souffrir. Je doys franchir le col pour trouver la route. Je ne sais si je parviendrai jusqu'à Lyon, ville si loyntaine... La perruque crasseuse de ce déguisement me pique la teste, et le maquillage me brusle la peau. Mon visage ressemble à l'ouvrage de couture d'une apprentie incapable. Me voyci, piètre marchande ambulante, fuyant telle une voleuse, les joues souillées de larmes, le cœur brisé... Quel misérable spectacle j'offre à la nature, en cette aurore du moys d'août mil cinq cent nonante-six !

Autour de moy, les premiers oyseaux piaillent, et la brume court sur les prés comme une chevelure blanche et maléfique. Les Monts des Baumes m'encerclent sous le regard surpris des bestes à corne et l'œil sombre de la forest, qui semble me reprocher ma fuite. Au loyn, les tours du château s'élancent dans la pâleur du soleil levant, et le village dort encore. On le devine entre les collines, loup tapi dans la pénombre. Personne ne pourrait croyre qu'il prépare ses griffes à déchirer les chairs.

1 . . . . L'ÉNIGME DE L'ÂNE

Une pluie fine tombait depuis le matin, ravivant les couleurs de la nature. Après avoir traversé les prés, les trois garçons suivirent le chemin qui pénétrait dans la forêt jurassienne. Poindeur, le chien de berger, les précédait joyeusement. Malgré le printemps, la neige s'accrochait au sommet des Monts des Baumes culminant à près de deux mille mètres d'altitude. Léo s'impatientait. La capuche de son anorak était étroite et l'eau dégoulinait sur son visage.

— C'est encore loin, Julien ?

— On y sera dans une demi-heure.

Julien Morel lui avait répondu sans cesser de marcher, son bâton de randonneur à la main. Aussi grand que Félix, il affichait de larges épaules et des allures de lutteur. Il prétendait devoir sa musculature au fait d'habiter en montagne, mais sa force résultait plutôt de son entraînement sportif. Ce garçon de treize ans était le meilleur joueur de rugby du collège des Rochers !

Cela faisait quatre jours que Félix et Léo foulaient le sol français. Ils effectuaient ce voyage à l'occasion d'un échange culturel entre leur école de Québec et le collège des Rochers situé aux Blondines, petite ville de Franche-Comté. Leur groupe avait pris l'avion entre Montréal et Lyon, puis un autobus pour gagner la région montagneuse du Jura, à une centaine de kilomètres vers l'est. Une vingtaine d'écoliers québécois accompagnés de deux professeurs partageaient cette expérience unique. Ils étaient accueillis dans des familles, et c'était chez les Morel que Félix et Léo demeuraient.

Avant leur rencontre, les garçons n'avaient eu le temps d'échanger qu'une poignée de messages électroniques. En apercevant celui qui allait devenir leur hôte et compagnon durant dix jours, Félix et Léo furent d'abord intimidés. Julien paraissait beaucoup plus âgé qu'eux. Avec son gabarit impressionnant, son nez en trompette, ses yeux bleus et ses taches de rousseur, il ressemblait à un fils de Viking! Les premières heures passées, ils découvrirent que cette grosse tignasse blonde cachait un garçon très sympathique, à la fois poli et farceur. Sa famille réunissait ses parents, Sylvie et Thierry, sa sœur, Justine, âgée de dix-sept ans, Violette, sa grand-mère, et Poindeur, un vieux chien de berger blanc. Elle habitait le village de Moranges, situé à un kilomètre des Blondines, dans un vaste chalet en bois.

Le programme principal de Félix et de Léo consistait en trois journées d'école passées dans la classe de Julien, suivies de sept jours libres au sein de leur famille d'accueil. Ils avaient pour seule obligation de rédiger un texte d'environ deux pages sur un sujet de leur choix lié à leur voyage, qu'ils devraient présenter pendant la cérémonie de départ prévue au collège, avant de quitter la France. Félix et Léo n'avaient pas encore choisi le sujet de leur rédaction.

La pluie cessa enfin. Les randonneurs venaient de quitter la forêt aux pins immenses et traversaient un pâturage où broutaient trois vaches. Les apercevant, Poindeur aboya un coup et poursuivit son chemin en reniflant l'herbe. Julien paraissait amusé.

— Quand je pense que vous tutoyez vos profs au Québec... C'est trop bizarre !

— Ça dépend des profs et des classes, rectifia Félix.

— N'empêche que, si je le faisais, quels que soient le prof et la classe, je me prendrais une baffe. Vous, vous pouvez demander : « Pourquoi tu me fous cette note pourrie, monsieur ? »

Ils rirent aux éclats. Julien pouvait dire des grossièretés lorsqu'ils étaient tous les trois ensemble, mais Félix et Léo savaient qu'il était trop bien élevé et timide pour se permettre d'être vulgaire avec ses professeurs ! À l'entendre, il n'aimait pas l'école, excepté les cours de sport, contrairement à Félix et à Léo, qui s'intéressaient surtout aux sciences et à l'histoire, sans être toutefois des premiers de classe.

Félix et Léo avaient déjà constaté des différences avec le Québec. Pour s'amuser, ils en avaient dressé une liste secrète et non scientifique, que Léo avait transmise par courrier électronique à Diane, leur grand-mère : « [...] les dizaines de fromages inconnus, les pommes ratatinées à la peau fripée, les plats de légumes pleins de crème, le lait trop gras (écœurant, dans le mauvais sens), les gâteaux délicieux (écœurants, dans le bon sens), les vieux chalets en bois semblant dater du Moyen-Âge, les mini-voitures, les routes étroites, les nombreux devoirs à faire à la maison, les dents en mauvais état, les hommes qui se font la bise quand ils se rencontrent, ceux qui boivent des verres de vin dès le matin, l'accent étrange, la politesse avec laquelle les personnes se parlent et leur façon horrible de se disputer en public, comme si elles vont s'arracher la tête ! » Félix et Léo ressentaient cette irritabilité même chez Julien. Malgré son bon caractère, il semblait se mettre plus facilement en colère qu'eux.

Félix traversait les prés mouillés de sa démarche dégingandée. Il paraissait maigrichon dans ses habits trop larges. Ses cheveux noirs mi-longs aplatis sur son crâne et ses verres de lunettes embués lui donnaient une allure de star du rock des années soixante. Il se retourna vers Julien, qui riait encore de sa blague.

— Où est-ce que tu nous emmènes, déjà ?

— À Château-les-Lacs.

— Il y a un château, là-bas ? lui demanda Léo, fébrile.

— Non, mais je n'ai pas d'autre idée à propos de votre affaire.

Leur affaire... Julien faisait allusion à la mystérieuse énigme transmise à Félix et à Léo quelques jours avant leur départ pour la France, via la boîte de courrier électronique de leur site ENIGMAE. Le message s'intitulait *Une énigme dans le Jura*, et son contenu était pour le moins intrigant :

Bonjour,

Je m'appelle Simon Fueller. Je suis retraité et j'habite en Suisse. C'est mon petit-fils qui m'a fait découvrir votre site. Je m'intéresse, comme vous, aux énigmes, c'est pourquoi je vous envoie celle-ci, trouvée dans un livre sur le Jura: « Pour avoir mordu l'enfant de Philippe, l'âne des Blondines sera passé à la question au château. Signé 230. » Je n'ai pas compris sa signification. J'ai lu que vous alliez bientôt dans le village des Blondines. Vous aurez peut-être plus de chance que moi dans vos recherches.

Salutations,

SIMON F.

Que ce monsieur Fueller sût qu'ils partaient dans le Jura n'avait rien d'étonnant, puisque plusieurs semaines auparavant Félix et Léo avaient affiché une note sur leur site, informant les internautes qu'ils participeraient à un échange avec l'école des Blondines. Bien qu'il la trouvât rigolote, cette histoire d'âne n'inspirait pas Julien. Les Blondines n'ayant jamais eu de forteresse, il avait proposé à Félix et à Léo de découvrir le seul endroit de la vallée des Baumes où un château avait été jadis construit.

Tout en continuant de marcher, Félix sortit de sa poche un carnet où il avait recopié le texte et pris diverses notes. Il lut une définition.

— Selon le dictionnaire, passer un accusé à la question signifie lui infliger la torture pour lui arracher des aveux.

— Un âne aurait été torturé par quelqu'un qui voulait le forcer à avouer ses crimes! ajouta Léo d'un air entendu.

— C'est vraiment trop bizarre! s'exclama Julien. Vous délirez.

— As-tu lu nos archives, sur ENIGMAE? lui demanda Félix.

Julien s'arrêta net. Il se tourna vers Félix et hocha la tête, l'air penaud. Il savait que Félix et Léo aimaient les mystères et les affaires tordues. Léo l'avait prévenu par courriel de l'existence de leur site consacré aux énigmes, aux scandales et aux découvertes insolites du monde de la science et de l'histoire. Julien avait navigué rapidement sur les pages d'ENIGMAE pour en retenir l'idée générale et la présenter en classe à ses camarades, sans avoir envie d'y passer la journée... La lecture, les sciences et l'histoire étaient loin d'être ses loisirs préférés!

Léo vint à sa rescousse.

— On fait des recherches dans les livres, les revues et les magazines, et dans Internet, pour trouver des anecdotes à présenter sur ENIGMAE. C'est vraiment super. Parfois, nos grands-parents nous donnent des idées. Diane a découvert un site génial consacré au droit criminel. C'est comme ça qu'on a appris qu'au Moyen-Âge des animaux ont été accusés de crimes et ont subi des procès.

— Quoi? fit Julien, ahuri. C'est vrai?

— Ouais, et c'est complètement débile! répondit Félix avec entrain en tournant les feuillets de son calepin. Je te lis le compte rendu qu'on a mis sur ENIGMAE et qui est intitulé *Le scandale du coq qui a pondu un œuf.* Je l'ai recopié avant de partir.

Au Moyen-Âge, alors que les animaux erraient souvent en liberté dans les rues des villages, il arrivait des accidents : un enfant se faisait dévorer par un cochon, un adulte se faisait mordre par un âne, etc. Parfois, on intentait des procès à ces animaux criminels ! En 1266, près de Paris, un cochon accusé d'avoir dévoré un enfant a été condamné à mort et brûlé. En 1314, un taureau qui avait tué un homme à coups de corne a été pendu. En 1451, des sangsues ont été condamnées par un évêque parce qu'elles détruisaient des poissons. En 1474, un juge de la ville de Bâle a condamné un coq à être brûlé pour avoir pondu un œuf !

— C'est trop bizarre !

— Peut-être, sauf que ça pourrait expliquer une partie de notre énigme ! lui dit Léo, enjoué.

— Pour avoir mordu l'enfant de Philippe, l'âne des Blondines sera passé à la question au château, reprit Félix. Notre hypothèse est qu'un âne a subi un procès dans la région des Blondines pour avoir agressé un enfant !

— Vous êtes malades, murmura Julien.

Un ensemble de toits pointus dépassait de la brume devant eux. Ils arrivaient enfin à destination !

2 . . . . CHÂTEAU-LES-LACS

Les garçons avaient quitté Moranges en direction du sud-est, puis traversé des prés et une forêt de pins, arpenté d'autres pâturages, grimpé et redescendu un petit col jusqu'à Château-les-Lacs. Un val s'étendait devant eux sur environ cinq kilomètres. Le village, composé d'une vingtaine de maisons semblables à de gros chalets, était desservi par une route goudronnée qui faisait un large détour et serpentait des Blondines jusqu'au col de la Faux, plus au sud. Les jeunes avaient préféré emprunter le raccourci en passant par les prés et la forêt. Le paysage était, une fois de plus, enseveli sous des bancs de nuages translucides qui se mouvaient avec lenteur, conférant à l'ensemble une aura de mystère.

— On se croirait au bout du monde, déclara Léo, peu rassuré.

Félix examinait les alentours, cherchant des indices de forteresse.

— Il y avait un château ici ? demanda-t-il à Julien.

— Ouais.

— Où se trouvait-il ? dit Félix.

— Je n'en sais rien, il n'y a pas de ruines.

Julien caressait Poindeur. Il était revenu auprès des garçons, qui faisaient une pause aux abords du village. De la race du berger blanc suisse, haut sur pattes, avec de longs poils et des oreilles pointues, il ressemblait à un loup. Il se déplaça vers Léo, dont c'était le tour de cajoler la gentille bête.

—Ton chien est vraiment super, fit-il. Pourquoi s'appelle-t-il *Poindeur* ?

— C'est le nom que mémé Violette lui a donné, parce qu'il est né très tard dans la nuit. Chez les anciens de la région, *point d'heure*, c'est l'heure comprise entre minuit et une heure.

— On l'aime bien, ta grand-mère, mais on ne comprend pas tout ce qu'elle dit, ajouta Félix.

— Ça lui arrive de parler en patois. Elle est un peu zinzin maintenant, mais je l'aime beaucoup. Vous voulez qu'on essaie d'interroger quelqu'un à propos de l'âne torturé ?

— Ce serait super ! s'exclama Léo.

— Suivez-moi.

Ils traversèrent le village désert et atteignirent un édifice en pierre, dont le rez-de-chaussée était occupé par un magasin. Julien ordonna à Poindeur de s'asseoir devant la porte vitrée pendant que Léo, coquet, lissait ses cheveux bruns en brosse pour paraître plus présentable. Lorsqu'ils entrèrent dans la boutique, une délicieuse odeur de gâteau aux fruits emplit leurs narines. Un comptoir proposait des pains aux noix, des fromages et des charcuteries du pays. Léo se surprit à loucher vers des étalages où de minuscules pots de confiture brillants, recouverts de tissus à carreaux, jouxtaient des avalanches de paquets de bonbons au miel des montagnes. Une femme d'une cinquantaine d'années était occupée à plier des sacs recyclables.

— Bonjour, Julien. Qu'est-ce qui t'amène ?

— Bonjour, madame Levasseur. C'est juste pour une information. Mes amis cherchent des renseignements à propos d'un événement qui se serait produit dans la région. Avez-vous entendu parlé d'un procès bizarre impliquant un âne ?

— Un âne ?

— Oui.

— Je ne connais aucune histoire loufoque de ce genre.

— Savez-vous si, dans l'ancien château du village, il y avait une prison où on torturait les gens ? lui demanda Léo avec sérieux.

— C'est possible. Le château a été rasé par les flammes au XVIIIe siècle. Ta question m'intrigue !

Julien fit un signe à Félix, qui sortit ses notes et montra à la dame le texte de l'énigme de Simon Fueller.

— *Pour avoir mordu l'enfant de Philippe, l'âne des Blondines sera passé à la question au château. Signé 230*, déchiffra-t-elle. Qu'est-ce que c'est que ça ?

Elle relut en silence l'étonnante sentence.

— Hum! vous êtes dans le seul village de la vallée des Baumes qui ait eu un château. *Signé 230...* Je ne vois vraiment pas ce que tout cela signifie. Vous devriez vous renseigner à l'élevage d'ânes de Cayrolles-en-Montagne. *L'enfant de Philippe... Philippe... Un âne...* La seule idée qui me vient à l'esprit — mais je doute qu'elle puisse vous aider si vous cherchez un château ou une prison —, c'est qu'il y a un grand âne en bois sculpté au fond d'un magasin de la rue Saint-Philippat, aux Blondines. C'est à la fois un atelier de menuiserie et une boutique d'artisanat. Vous ne pouvez pas manquer cet animal, il est immense.

Julien fit une grimace.

— Je l'avais oublié, celui-là.

— Il est loin de chez toi, ce magasin? lui demanda Félix, tandis que Léo achetait un sac de friandises aux myrtilles.

— Non, à une vingtaine de minutes à pied, environ. Sauf qu'on ne pourra pas s'y rendre aujourd'hui! Le temps de revenir aux Blondines, il sera fermé...

— J'en ai bien peur, murmura madame Levasseur en jetant un coup d'œil à sa montre.

Ils la remercièrent pour son aide et prirent le chemin du retour, en compagnie de Poindeur.

— On dirait qu'on tourne en rond avec cette histoire d'âne! lança Félix, interrompant le silence qui s'était installé entre eux.

— Le château de l'énigme pourrait donc être celui de Château-les-Lacs, marmonna Léo, pensif. Si Philippe, dont le fils a été mordu, était le nom d'un personnage historique, cette dame s'en serait souvenue, tu ne crois pas, Félix?

— Ouais, sûrement...

— Si ce Philippe n'était pas quelqu'un d'important, poursuivit Léo, nos recherches pour découvrir son identité vont être très difficiles!

— D'un autre côté, nota Félix, s'il avait été un paysan, penses-tu qu'on se serait soucié de torturer l'âne qui a mordu son fils?

— Ben...

— Imaginons que cette histoire se soit déroulée au Moyen-Âge, poursuivit Félix. À cette époque, si tu n'étais pas un noble, un seigneur ou un truc du genre, tu pouvais te faire mordre les fesses par n'importe quoi, les gens s'en fichaient!

Les garçons s'esclaffèrent. Il était près de dix-sept heures. Les nuages s'amoncelaient dans le ciel, et un froid humide transperçait les os. Julien accéléra le pas pour forcer le cortège à avancer plus vite.

— La signature du texte pourrait nous aider à savoir à qui on a affaire, dit Léo. Sauf qu'on n'a pas un seul indice pour comprendre la signification du *230*.

— En tout cas, vous avez un âne aux Blondines dans un magasin, ce n'est déjà pas si mal! fit Julien, l'air satisfait.

— J'ai hâte d'aller examiner ce colosse, lui dit Félix.

— Ne t'attends pas à des merveilles ! La dernière fois que je l'ai vu, j'étais tout petit, et je me souviens juste d'un gros morceau de bois avec des oreilles... Vous voulez y aller quand ?

— Euh... demain matin, ce serait bien.

— C'est bête... soupira Julien.

— Quoi ? lui demanda Léo.

— Je ne pense pas que je pourrai venir avec vous, j'ai rendez-vous chez le dentiste. C'est mon père qui m'accompagne et je ne sais pas combien de temps ça va durer. On va m'arracher deux dents... Mais on pourra vous déposer devant le magasin, c'est sur notre chemin !

3. . . . . AMANDIN

Le matin suivant marquait le début d'une semaine de vacances pour les écoliers français et d'une plus grande liberté pour les frères Valois, qui n'avaient plus l'obligation de suivre les cours de la classe de quatrième* de Julien. Félix et Léo n'avaient pas remarqué d'énormes différences entre la France et le Québec dans la façon dont se déroulait une journée de classe. Les matières étudiées étaient les mêmes. Comme eux, Julien devait changer de professeur et de salle de cours toutes les heures. Comme eux, il mangeait à la cafétéria de l'école. Ce qui ne cessait de fasciner Félix et Léo, c'était l'ampleur des devoirs que les élèves ramenaient à la maison, même pendant les vacances !

Ce jour-là, l'ambiance était à la fête. Réunis dans la chambre de Julien, où deux matelas supplémentaires avaient été disposés par terre, les trois garçons bavardaient et jouaient avec Poindeur en attendant que Thierry, le père de Julien, fût prêt à partir. Il déposerait Félix et Léo devant le magasin où se trouvait la sculpture

---

* La classe de quatrième en France équivaut à la classe de deuxième secondaire au Québec.

de l'âne, sur le chemin du cabinet dentaire où Julien avait son rendez-vous.

Alors que Léo et Julien taquinaient Poindeur, Félix relisait ses notes. Puis, il s'adressa à Julien.

— Est-ce qu'il y a des archives historiques aux Blondines ?

— Des archives ? Peut-être.

— C'est débile, Simon Fueller aurait dû nous préciser le titre du livre dans lequel il a trouvé l'énigme !

— Ouais, c'est bête, ajouta Julien, qui ne semblait pas s'en soucier le moins du monde. Et si vous lui écriviez pour le lui demander ?

— On l'a fait avant de prendre l'avion. On a vérifié nos messages à l'un des postes Internet de ton école, hier. Ce gars ne nous a pas encore répondu.

— Vous avez compris que c'est impossible d'utiliser l'ordinateur de la maison... C'est simple, ma sœur considère qu'il lui appartient. Mon père n'ose pas sévir, parce qu'il a peur qu'elle le prenne mal. Elle a un sacré caractère...

— C'est vrai que ta sœur a l'air bizarre, lui dit Léo, en repensant à la grande rousse à la coiffure en pics et au maquillage noir qu'il avait croisée à plusieurs reprises.

— Mes parents disent que c'est une ado à problème. À côté d'elle, je suis un premier de classe ! Elle ne parle pas, elle grogne. Elle est nulle au lycée et passe son temps dans Internet ou sur sa mobylette avec ses copains. Quand j'étais petit, elle était sympa avec moi. Maintenant, on dirait que j'ai littéralement… disparu ! Elle se balade dans la maison comme un fantôme, et son seul ami, c'est le frigo !

Julien était en train d'imiter sa sœur marchant tel un zombie lorsque son père fit irruption dans leur chambre pour les prévenir qu'il était prêt à partir. Les garçons se hâtèrent de le suivre en tâchant de contenir leurs fous rires.

***

Thierry Morel était proche de la cinquantaine et travaillait en tant que gérant du supermarché le plus vaste de la région. Il avait des cheveux courts grisonnants et les mêmes yeux bleus que Julien. Il semblait à la fois autoritaire et gentil. Son épouse, Sylvie, une jolie femme plus jeune que lui, et à la chevelure blonde et bouclée, était puéricultrice à la garderie des Blondines. Tous deux possédaient des horaires complémentaires leur permettant de ne jamais laisser Violette, la mère de Thierry, seule dans la maison.

Comme convenu, Thierry déposa Félix et Léo devant la porte du fameux magasin, rue Saint-Philippat. Puis, la camionnette disparut dans les rues des Blondines.

Félix se mit à regarder la vitrine de cette boutique exposant du mobilier en bois et des ustensiles de cuisine décoratifs. Plus fonceur que son frère, Léo n'attendit pas une minute de plus et poussa la porte du magasin. Quatre personnes discutaient vivement près d'un comptoir.

— Bonjour! leur lança une femme dont la chevelure noire et carrée rappelait celle de Cléopâtre. Vous êtes les petits Québécois des Morel?

Félix et Léo échangèrent un regard complice. On les avait sans doute aperçus en train de descendre de la camionnette de Thierry. Tout le monde semblait se connaître dans la région.

Félix dégagea la longue frange qui tombait sur ses lunettes rondes et prit un ton posé.

— Oui. Bonjour!

— Bienvenue aux Blondines! Cherchez-vous une chose en particulier?

— On nous a dit qu'il y avait dans le magasin une sculpture représentant un grand âne. Est-ce qu'il serait possible de la voir, s'il vous plaît?

— Ah! je suis vraiment désolée... Cela fait longtemps qu'elle n'est plus ici! Elle était très abîmée.

— Ah, d'accord! dit Félix en se tournant vers Léo.

Il semblait aussi déçu que lui. Ils n'avaient pas pensé à une telle éventualité.

— Savez-vous si cet animal a une histoire particulière? demanda Léo.

— Il se nomme Amandin. Mais celle qui pourrait le mieux vous en parler, c'est Marylène. Marylène Chauvoy-Touche. C'est la petite-fille du sculpteur. C'est une artiste. Elle a emménagé aux Blondines et elle doit être dans son atelier à cette heure-ci. Ce n'est pas loin d'ici. Continuez en direction de la rue Centrale ; son atelier est juste avant la boulangerie.

Félix et Léo la remercièrent, puis quittèrent le magasin. Après une brève marche, ils pénétrèrent dans la boutique minuscule de la sculptrice. Vêtue d'un tablier rouge couvert de saletés, elle était installée à un bureau et terminait une conversation téléphonique. Elle portait les cheveux très courts, presque rasés, et des anneaux géants en guise de boucles d'oreilles. Avec un sourire, elle leur fit signe d'avancer. Ayant enfin raccroché, elle les accueillit avec chaleur. Félix s'approcha en exposant la raison de leur visite. Marylène parut ravie.

— C'est drôle que vous vous intéressiez à Amandin ! Imaginez-vous que, il n'y a pas très longtemps, j'ai appris une terrible anecdote à son propos !

— Ah bon ? fit Léo, surpris.

— Oui, en lisant d'anciens papiers ayant appartenu à mon grand-père... Il aimait beaucoup les ânes et s'était pris d'affection pour l'un des plus costauds de la région, Amandin. Il m'a raconté un jour que c'était une bête très douce, dotée de magnifiques yeux en amande et d'un amour infini pour les enfants, et que c'était la raison pour laquelle il avait sculpté cet Amandin géant que vous cherchez. Mon grand-père n'était pas un artiste professionnel, mais il possédait beaucoup de talent et d'instinct. Regardez.

Marylène se retourna et s'empara d'une statuette qui se trouvait sur une étagère derrière elle. Elle la tendit à Léo.

— J'ai fait des répliques miniatures, en frêne, de l'Amandin géant de mon grand-père. L'original est resté dans la famille, mais il est en piteux état.

Léo prit l'objet délicat entre ses mains. Félix s'en approcha, émerveillé. Le petit âne d'une hauteur d'environ dix centimètres avait la couleur du pain d'épice. Épuré comme une œuvre d'art moderne, il se dressait sur ses pattes arrière, tout sourire, avec ses longues oreilles et ses yeux effilés, semblables à des pépins de pomme.

— Il est joli, murmura Félix.

— Je vous l'offre. En souvenir de mon grand-père et d'Amandin, puisque vous vous intéressez à lui.

— Merci ! s'exclamèrent Félix et Léo en chœur.

— C'est un plaisir. Pour revenir à mon anecdote... je viens de découvrir un article dans les affaires de mon grand-père. On y explique que, en 1341, il y avait un âne gigantesque qui mesurait un mètre nonante-cinq au garrot et qui se nommait Amandin.

— *Nonante* ? répéta Félix, étonné.

— Oui, c'est le mot qu'on utilise dans la région et en Suisse pour dire quatre-vingt-dix. Bref, cet âne a été jugé coupable d'avoir mordu l'enfant du prince qui occupait le château de Château-les-Lacs. Imaginez que ce prince a condamné l'animal à la torture !

Abasourdis par la nouvelle, les garçons se dévisagèrent.

— On l'a écartelé, et il a succombé à ses blessures. Le prince aurait donné sa chair aux villageois, et ceux-ci l'auraient, paraît-il, dévoré. L'âne était si gros qu'ils en mangèrent durant plusieurs jours! C'est une histoire atroce, n'est-ce pas?

— Atroce, répéta Léo, contemplant la statuette d'Amandin avec tristesse.

— Je vais commencer à croire qu'il s'est passé beaucoup de choses étranges dans la région, murmura Marylène.

— Pourquoi dites-vous cela? lui demanda Félix.

— Vous connaissez Val d'Illex?

— Non.

— C'est un village en ruine, dans la montagne. Il a été abandonné il y a des lustres, après une épidémie de peste. D'étranges événements s'y sont produits, paraît-il. Mon grand-père, qui était aussi historien, possédait des documents à ce propos, mais il les a tous brûlés. Il a toujours fait un mystère de Val d'Illex en parlant de sorciers et de sorcières...

— De sorcières! s'exclama Léo, bouche bée.

— Oui. J'ai toujours voulu en savoir davantage, mais il me disait: «Ce ne sont pas des histoires pour les petites filles!» Cela me faisait enrager...

— Y êtes-vous déjà allée? lui demanda Félix.

— Non. J'ai dû quitter la région assez tôt, pour mes études. Les balades en montagne, ce n'était pas mon fort, j'avais hâte de vivre en ville... Les années passant, j'ai oublié cette histoire. Maintenant que je suis de retour aux

Blondines, je vais tâcher de prévoir une petite excursion là-bas, un de ces jours. Dès que j'en aurai le temps...

Félix et Léo échangèrent un regard qui en disait long. Leur curiosité était piquée !

— Bref, poursuivit Marylène, pour en revenir à nos moutons ou plutôt à notre âne... la singularité de ce vieux procès du Moyen-Âge et la torture infligée à Amandin étaient sans doute les véritables raisons pour lesquelles mon grand-père vouait à cet animal une sorte de culte.

Félix sursauta.

— On a quelque chose à vous montrer, déclara-t-il.

Cette affaire de sorcellerie avait failli lui faire oublier la raison de leur visite chez la sculptrice ! Sans attendre, il présenta le texte de leur énigme à Marylène, ainsi que leurs hypothèses. Celle-ci en fut étonnée.

— C'est curieux... Qui est ce Philippe ? Le prince dont l'enfant a été mordu s'appelait Théodore ! Et que signifie ce *230* ? Si jamais vous découvrez des éléments nouveaux à propos d'Amandin, n'oubliez pas de me les transmettre.

— On vous le promet ! répondit Léo, enjoué.

4 . . . . LE MYSTÈRE DES CHIFFRES

Julien et son père n'étaient pas encore revenus du cabinet dentaire lorsque Félix et Léo rentrèrent chez les Morel. Ils montèrent dans leur chambre déposer la statuette, puis aidèrent la grand-mère à mettre le couvert pour le repas du midi. Au menu figuraient soupe, jambon, gratin de pommes de terre au comté et compote de pommes. Justine était partie se promener en mobylette avec des amis. Le temps passa et, ne voyant pas revenir le reste de la famille, Sylvie décida qu'ils mangeraient sans attendre. La conversation tourna autour de Violette qui ronchonnait, affirmant que quelqu'un dans la maison lui avait dérobé sa chemise de nuit.

Enfin de retour, Julien retrouva Félix et Léo dans sa chambre. Il tenait un bol de compote fraîche entre les mains. Avec son visage bouffi et son regard dans le vague, il ressemblait à un personnage de bande dessinée. Allongés sur leur lit, Félix et Léo feuilletaient des magazines sportifs.

— Ça va ? lui demanda Léo.

— Bof! Y m'a arraché deux dents et fait trois plom-baches. Ch'ai l'imprechion que ma mâchoire pèche une tonne!

Léo lui raconta leur visite au magasin et surtout chez la sculptrice. Julien n'en crut pas ses oreilles et s'affala sur son pouf en microbilles. Il posa sa coupe de compote par terre. Félix lui passa la statuette, qu'il examina avec attention.

— Ch'est trop bicharre! Che truc me dit quelque choche.

— C'est normal, répondit Félix. C'est la réplique de la sculpture qu'il y avait dans le magasin. Tu l'as déjà vue!

— Ouais...

— On devrait peut-être aller à l'élevage d'ânes dont nous a parlé la dame de Château-les-Lacs hier, suggéra Léo. On pourrait en interroger les propriétaires à propos d'Amandin.

— Je ne sais pas si ça vaut le coup, répliqua Félix, peu enthousiaste. Cette femme, Marylène Chauvoy-Touche, a dû déjà le faire. On n'apprendra rien de plus qu'elle. À mon avis, on a compris ce qu'il y avait à comprendre de l'énigme de Fueller!

— T'as dit Chauvoy-Touche? demanda Julien, au comble de la surprise. Ch'est chon nom?

— Oui; c'est la fille qui nous a raconté l'histoire de l'âne. Pourquoi?

— Ch'est le nom d'un de mes meilleurs chamis, Lucas Chauvoy-Touche.

Sur ce, Julien bondit hors de son pouf et sortit de la chambre pour se rendre à la salle de bain, où il se débarrassa des compresses — vestiges de sa visite chez le dentiste — qui encombraient sa bouche. Il revint auprès de Félix et de Léo, qui n'avaient pas bougé d'un millimètre.

— Attendez que je réfléchisse, lança-t-il, énervé.

Il s'empara de son bol de compote, qu'il avala enfin en trois cuillerées géantes. Ses yeux fixes paraissaient tournés vers l'intérieur.

— Lucas Chauvoy-Touche, murmura Félix.

Il sortit son carnet de sa poche et en déchira une feuille vierge. Il chercha un stylo. Léo lui en trouva un. Léo connaissait bien son frère et pressentait qu'il venait d'avoir une idée géniale.

Félix traça un étrange tableau composé de quatre lignes et de dix colonnes.

— Si je me souviens bien, marmonna-t-il, c'est un système tout bête que les gens utilisent parfois pour coder des messages. Je n'y avais pas pensé, parce que je croyais qu'on avait affaire à une énigme du Moyen-Âge !

Il ajouta des chiffres et des lettres dans chacune des cases du tableau.

1	2	3	4	5	6	7	8	9	0
a	b	c	d	e	f	g	h	i	j
k	l	m	n	o	p	q	r	s	t
u	v	w	x	y	z				

— Regardez ! s'exclama-t-il.

Hébétés, Julien et Léo s'approchèrent de lui. De l'index, Félix leur indiqua le 2 pour «L», le 3 pour «C» et le 0 pour «T».

— Pétard ! lâcha Julien, hors de lui. Ce sont les initiales de Lucas !

— Est-ce possible que ton ami nous ait joué un tour ? lui demanda Félix, le souffle coupé.

— Je ne sais pas mais, quand Léo a prononcé son nom, je me suis rappelé que c'est chez lui que j'ai vu la même statuette que celle qu'on vous a offerte !

— Simon Fueller serait aussi tombé dans le piège ? fit Léo avec une grimace d'écœurement. À moins que... à moins qu'il n'existe pas ! Évidemment ! Le livre sur le Jura dans lequel il aurait lu l'énigme n'existe pas non plus !

— Si c'est une blague, elle n'est pas géniale, ajouta Félix.

— Pourtant, Lucas est super-gentil. Vous savez, il est très malade. Il a la leucémie.

— Oh ! souffla Félix.

Le silence tomba dans la chambre.

— Il est souvent absent pour ses traitements à l'hôpital, reprit Julien. Sauf que le jour où j'ai présenté votre site Internet à ma classe, il était là, je m'en souviens. Il a dû préparer son coup. Il va me le payer !

— Tu penses vraiment qu'il a inventé cette énigme ? lui dit Félix, embarrassé.

— La meilleure façon de le savoir est d'aller lui poser la question.

5 . . . . LUCAS

Les trois garçons se rendirent à pied chez Lucas après lui avoir téléphoné pour prendre de ses nouvelles et savoir s'ils pouvaient lui rendre visite le soir même. À partir de Moranges, il leur fallait suivre pendant une vingtaine de minutes la route en lacet grimpant au belvédère du Mont des Loups. La famille Chauvoy-Touche habitait près de la station de ski de fond des Blondines, fermée en cette saison.

Ils trouvèrent Lucas dans le grenier de la maison, aménagé en salle de jeux. Concentré sur la manipulation d'une manette, assis face à l'écran d'un téléviseur, il était plongé avec son petit frère dans un match de football virtuel. Comme les deux joueurs tournaient le dos à la porte, ils ne virent pas entrer leurs visiteurs.

— But! cria Lucas en sautant sur son siège avec fougue. Je t'ai eu, Raoul!

— T'as l'air de t'amuser! lança Julien.

Lucas et Raoul sursautèrent, puis firent volte-face. Julien Morel fixa Lucas de ses grands yeux bleus et lui montra ce qu'il tenait dans la main : la statuette d'Amandin. Lucas resta figé quelques secondes, puis il fit signe à Raoul de les laisser. Ce dernier quitta la pièce sans se faire prier.

— T'es gonflé comme un ballon de foot, Juju ! s'exclama Lucas. Qu'est-ce qui t'arrive ?

— C'est à cause du dentiste. Je te présente Félix et Léo Valois, qui viennent du Québec. Tu connais leur site Internet ?

Lucas ignora la question, et salua Félix et Léo d'un geste de la main, auquel ils répondirent. Il était coiffé d'une casquette rouge, et il portait un tee-shirt noir et une paire de jeans dont l'entrejambe arrivait presque aux genoux. Dans ses prunelles se lisaient une vive intelligence, et un mélange de crainte et de fierté. Julien trépignait d'impatience.

— T'aurais pas quelque chose à nous avouer, par hasard ? lui dit-il.

— Vous m'en voulez ? fit Lucas.

— Tu nous as fait courir comme des lapins pour résoudre une énigme qui n'existait pas ! Tu crois que c'est marrant ?

Lucas se mordillait la lèvre inférieure en se retenant pour ne pas rire. Julien lui conta le fil des derniers événements, et la façon dont ils avaient compris la signature du mystérieux texte et découvert la plaisanterie.

— On est allés jusqu'à Château-les-Lacs pour rien! s'emporta Julien.

— Je pensais que ça vous amuserait de découvrir la vérité au sujet d'Amandin. C'était une belle énigme, non? Et puis, je l'ai peut-être arrangée, mais elle n'est pas fausse! Personne ne connaissait cette histoire à propos d'Amandin avant que Marylène ne découvre cet article dans les papiers de son grand-père...

Julien répondit par un soupir exaspéré et partit bouder dans son coin. Lucas paraissait embarrassé.

Félix et Léo ne savaient que faire. Ils n'avaient pas envie d'assister à une dispute. En se passionnant pour les énigmes, Léo cherchait surtout à se faire peur grâce à des anecdotes croustillantes, alors que Félix était plutôt attiré par le défi intellectuel que représentait leur résolution. À ces deux égards, l'énigme de l'âne, qui était basée sur des faits historiques réels, les avait comblés. Félix était en train de penser à une façon claire d'exposer son point de vue sans vexer personne quand Léo éclata de rire et alla s'asseoir sur un vieux canapé, en face de Lucas.

— Explique-nous comment t'as fait ton coup, lança-t-il.

— Il y a une semaine, ma tante Marylène m'a raconté ce qu'elle avait découvert à propos d'Amandin. Cette affaire m'a tout de suite fait penser à votre archive sur le scandale du coq. Soit dit en passant, votre site Internet est génial.

— Merci! lâcha Félix en s'installant aux côtés de Léo pour écouter les explications.

— Après que Julien a présenté votre site en classe, j'ai passé plusieurs heures sur ENIGMAE et j'ai lu chaque archive ! Quand Marylène m'a parlé de cet âne torturé à mort à Château-les-Lacs, j'ai pensé à un truc marrant.

— Très marrant, ronchonna Julien en s'approchant à son tour.

— Je me suis dit que j'allais me faire passer pour quelqu'un. J'ai inventé ce Simon Fueller et vous ai transmis un faux message. J'ai mis du temps à corriger mes fautes d'orthographe... Bref, c'était juste pour vous faire découvrir une anecdote rigolote ! J'ai reçu le message où vous me demandiez les références du livre dans lequel j'avais trouvé l'information ; ça commençait à m'embêter... Je pensais que vous en parleriez à Julien et qu'il m'appellerait.

— Tu t'attendais à ce que je t'appelle ? fit Julien, surpris. Pourquoi ?

— Parce que j'étais persuadé de t'avoir parlé de cet ancêtre qui a sculpté l'âne géant du magasin de la rue Saint-Philippat. Je pensais que tu te souviendrais de la statuette d'Amandin qui est dans ma chambre.

— Je m'en suis souvenu trop tard. De toute manière, ta chambre est un vrai foutoir !

Lucas pouffa de rire.

— Vous n'avez pas mis de temps à tout comprendre, déclara-t-il.

— N'empêche qu'elle est horrible, cette histoire d'Amandin, commenta Léo, pensif. Torturer un âne et le bouffer ensuite...Tu parles d'une région de sauvages! Je suis bien content de ne pas avoir vécu ici à cette époque!

Les garçons s'esclaffèrent de bon cœur.

— Au fait, vous connaissez Val d'Illex? demanda Félix en s'adressant à Julien et à Lucas.

— De nom seulement, répondit Lucas.

— Moi, je connais, fit Julien. C'est un hameau abandonné de la vallée des Baumes.

— Est-ce loin d'ici? l'interrogea Félix.

— À deux ou trois heures de marche. Pourquoi?

— La tante de Lucas nous en a parlé, et on aimerait beaucoup y aller, si c'est possible.

— Il paraît qu'il s'est passé des choses bizarres là-bas, ajouta Léo. Marylène nous a même raconté que ça avait peut-être rapport avec la sorcellerie...

— La sorcellerie? s'étonna Julien. À Val d'Illex? Je n'en ai jamais entendu parlé...

— Moi non plus! fit Lucas. Elle me cache des choses, Marylène...

— En fait, elle ne sait pas grand-chose, rectifia Léo. Son grand-père possédait des renseignements, mais il a tout brûlé.

— Si ça vous fait plaisir d'aller à Val d'Illex, poursuivit Julien, je veux bien vous y conduire. J'y suis déjà passé au cours de mes balades. Sans m'y arrêter, parce que c'est trop lugubre...

— J'aurais aimé vous accompagner, mais je vais à l'hôpital dans deux jours et je dois me reposer d'ici là, déclara Lucas, déçu.

— En tout cas, vous vous êtes bien moqué de nous, monsieur Simon Fueller, lui dit Julien, qui s'était calmé.

6 . . . . LES RUINES

Le lendemain matin, voyant que le soleil resplendissait dans un ciel sans nuage, les garçons décidèrent de se rendre à Val d'Illex. Une telle randonnée d'un jour exigeait un temps magnifique. Sylvie leur prépara un pique-nique et des bouteilles d'eau, qu'ils rangèrent dans leurs sacs à dos. Il n'était pas dix heures lorsqu'ils quittèrent la maison des Morel avec Poindeur, qui les accompagnait dans cette promenade en montagne.

Val d'Illex était situé à sept kilomètres de Moranges, dans la vallée des Monts des Baumes, au pied du Pic du Creux, culminant à mille sept cents mètres d'altitude. Le village le plus proche de ce hameau abandonné était Saint-Lutin, que la route du col de la Faux desservait. Thierry avait proposé de les y emmener en camionnette, mais les jeunes préféraient couper à travers la nature. La vallée était habitée, et ils ne s'enfonceraient pas dans des contrées sauvages. Ils ne couraient pas le risque de se perdre, d'autant plus que Julien connaissait bien la région et les sentiers.

Félix et Léo reconnurent l'itinéraire suivi durant la première heure de marche. C'était le trajet qui les avait menés jusqu'à Château-les-Lacs deux jours auparavant. Ils cheminaient à un bon rythme et en silence, Poindeur trottinant devant eux. À Château-les-Lacs, ils empruntèrent un sentier forestier et longèrent le ruisseau de l'Illex pendant quatre kilomètres. À travers la forêt et ses pins immenses et droits, semblables à des mâts de bateau surgissant de la terre, on apercevait la superbe vallée des Baumes, avec ses cimes enneigées et ses pâturages vert fluo. Julien proposa de faire une halte près du ruisseau pour manger un casse-croûte. Lorsqu'ils se remirent en route, Félix réfléchissait toujours aux propos de Marylène Chauvoy-Touche.

— Tu es bien certain de n'avoir jamais entendu parler d'événements bizarres qui se seraient déroulés à Val d'Illex? demanda-t-il à Julien avec insistance.

— Puisque je te le dis...

— Le grand-père de Marylène était historien et il avait trouvé de la documentation, ajouta Léo. C'est bête qu'il ait tout brûlé! Il devait être au courant d'un sacré mystère!

— Pour moi, c'est un village en ruine, point à la ligne, déclara Julien. Il y en a plusieurs dans la région, et il n'y a pas de quoi fouetter un chat. Ni un âne, d'ailleurs!

Le sentier étroit constituait une sorte de course à obstacles, présentant un entrelacement de racines, de miniravins à franchir, de troncs, de pierres et de flaques boueuses à enjamber. Plus de deux heures après avoir quitté Moranges, ils sortirent de la forêt. Un vaste pâturage s'étendait jusqu'à la route déserte du col de la Faux, blottie dans le creux de la vallée tel un serpent immobile. À quelques centaines de mètres d'eux, sur leur gauche, ils pouvaient voir un plateau envahi par des herbes folles, des arbustes sauvages et des bosquets de fleurs, ainsi qu'une dizaine d'édifices en ruine.

— On y est !

Julien s'arrêta près de la roche ronde recouverte de mousse où Poindeur s'était assis pour reprendre son souffle. Il attendit ses amis exténués, qui avaient ralenti la cadence. Puis, ils parcoururent ensemble les derniers cent mètres jusqu'aux abords du village fantôme.

Le sommet des montagnes projetait des ombres sur les vestiges. De nombreux tas de cailloux, des traces de fondations, des poutres noircies, des barres de fer et des sections de tonneaux, trois anciennes tourelles dont il ne subsistait qu'une vingtaine de rangées de briquettes, six maisons en pierre auxquelles manquaient des murs et deux vieilles granges en bois sans toit composaient le décor lugubre.

— Allons voir ça de plus près, proposa Félix, tandis que Léo se dirigeait déjà vers l'une des tourelles.

— C'est triste, ici, ronchonna Julien. Je ne comprends pas que vous vous intéressiez à de vieux machins pareils ! Quand je pense que mes parents voulaient nous payer une randonnée à cheval dans le Parc naturel régional du Haut-Jura ! Ç'aurait été pas mal plus chouette !

Félix et Léo ne lui répondirent pas. Ils étaient en quête de choses insolites, et les vieux machins, comme disait Julien, étaient loin d'être dénués d'intérêt pour eux !

Bien au contraire, il leur suffisait d'être dans des lieux où l'histoire avait inscrit sa marque pour que leur imagination travaille et que leur désir de fouiner s'amplifie.

Après avoir erré près d'une des tourelles, Léo choisit d'examiner la grange sans toit dont plusieurs planches noires paraissaient avoir été incendiées. Félix s'intéressa aux restes des maisons en pierre. Quant à Julien, il décida de faire la sieste en attendant que ses amis se décident à repartir. Il s'allongea sur un muret à moitié défoncé, face au soleil. Poindeur renifla les alentours, puis se coucha aux pieds de son jeune maître.

Félix fit le tour des bâtiments en flânant. Il pénétra dans la deuxième grange, puis alla inspecter une tourelle. Une heure passa ainsi. Il n'avait pu observer qu'un ensemble de planches brisées, brûlées, moisies ou vermoulues. Il se rendit compte que cela faisait un petit moment qu'il n'avait pas vu Léo.

— Léo! cria-t-il. Est-ce que tu es toujours dans la grange?

— Ouais! J'ai trouvé un truc bizarre! Viens voir!

Surpris par leurs cris déchirant le silence de la montagne, Poindeur aboya.

Sans perdre une minute, Félix se précipita dans le bâtiment en ruine qu'explorait Léo. Il ne reconnut pas son frère tout de suite. S'il était plus délicat et élégant que Félix, Léo n'hésitait toutefois pas à se salir les mains quand l'occasion se présentait. Son anorak et son jeans portaient de longues traces noir et brun. Ses chaussures de marche étaient luisantes de boue, et ses joues et ses cheveux en brosse, gris de poussière. Il se tenait accroupi dans un coin de la grange envahi par les herbes et grattait de ses doigts une latte de bois noircie.

— Alors? lui demanda Félix, fébrile. Qu'est-ce que tu as trouvé?

Léo se retourna et se plaça de côté afin de montrer sa trouvaille à son frère. De la main, il désigna cinq planches de plus d'un mètre de long qui dépassaient de la terre et des décombres. Une vieille réclame en métal, rouillée par le temps, y avait été clouée. Une drôle d'inscription gravée dans le bois apparaissait à l'extrémité de l'une des planches.

— Tu vois cette inscription? demanda Léo.

— Oui, fit Félix en s'approchant pour l'étudier en détail. *Est — 1596...*

— Elle est étrange, non ? J'ai l'impression qu'il y a d'autres lettres sous le panneau publicitaire en métal...

— Attends!

Félix ressortit de la grange à toute vitesse. Au cours de ses fouilles dans les débris du village fantôme, près d'un bosquet de fleurs magnifiques, il avait vu un morceau de fer plat et costaud dont ils pourraient se servir en guise de pied-de-biche pour décoller le panneau cloué sur la planche.

Il mit la main sur l'outil de fortune et revint dans la grange, où Julien et Poindeur, intrigués par tout le remue-ménage autour d'eux, s'étaient joints à Léo.

— Trop bizarre! murmura Julien en observant leur découverte.

Félix glissa la barrette de fer sous la vieille réclame et pesa de tout son poids sur le levier de fortune. Il s'y reprit plusieurs fois, à divers endroits, jusqu'à ce que les clous se soulèvent ou se brisent. L'opération dura près de vingt minutes. Puis, les garçons retirèrent avec précaution le panneau rouillé.

Léo avait raison : d'autres lettres se cachaient sous la saleté.

Il chercha la bouteille d'eau dans son sac à dos et fit glisser un peu de liquide dans les rainures de la planche en les grattant du bout des ongles...

Après de longues minutes, ils purent enfin déchiffrer les mystérieux caractères de ce texte étrange.

— *Que le brusleur soyt baygné et la mémoyre d'Adelyne honorée au poynt des vaches nord est* — *1596*, lut Julien, estomaqué. Trop bizarre...

— C'est complètement débile, murmura Félix, qui n'en revenait pas.

Julien toucha la planche et tâcha en vain de la faire bouger. Léo se releva sans la quitter des yeux. Il s'épousseta du mieux qu'il put. Ses mains et ses ongles étaient noirs comme s'il avait ramassé du charbon.

— Tu as entendu parler d'une Adelyne, Julien ? fit-il.

— Non.

— Et le brusleur, ça te dit quelque chose ?

— Pas vraiment.

— Crois-tu que cette planche est vieille ? lui demanda Félix.

— Je l'ignore, soupira Julien. Avec ces « y » partout, ce texte me fait penser à un poème du Moyen-Âge qu'on a étudié à l'école.

— Tu as raison, on dirait du vieux français, dit Félix en se redressant à son tour. Comment savoir si c'est ancien ?

— On pourrait déterrer la planche et partir avec pour la faire expertiser, proposa Léo.

Julien le regarda en roulant de gros yeux étonnés.

— Partir avec la planche sous le bras ? fit-il. Tu es malade ! Elle dépasse d'un mètre du sol, mais je suis certain qu'elle est beaucoup plus longue que ça ! Elle est profondément enfouie. Oublie ça, on n'arrivera jamais à la déterrer ! En plus, ce truc est super-lourd ; on risque de se blesser avec des clous rouillés et d'attraper le tétanos.

— Il n'y a pas de quoi s'énerver, lâcha Léo, vexé.

— On pourrait prendre des photos de l'inscription, proposa Félix. Peut-être que quelqu'un pourra nous dire de quoi il s'agit, au village.

— Je suis d'accord, lança Julien d'un air grognon.

Il sortit un téléphone cellulaire de son sac à dos. Sa mère lui avait prêté le sien afin qu'ils puissent appeler la maison en cas de besoin. Il en utilisa l'appareil photo et prit une dizaine de clichés, sous tous les angles. Une fois sa tâche terminée, il rangea le téléphone dans ses affaires. Il paraissait pressé de partir.

— Il est plus de trois heures, on doit rentrer.

— Qu'est-ce qu'on fait de la planche ? demanda Félix.

Julien le fixa à son tour, ahuri.

— Je croyais qu'on était d'accord, non ? On ne peut pas l'emporter avec no...

— Je sais, je sais ! le coupa Félix. Ce que je veux dire, c'est qu'on ne peut pas la laisser comme ça. Est-ce qu'on la camoufle avec du feuillage au cas où des inconnus viendraient fouiner ?

Julien sembla soulagé. Léo et lui acquiescèrent d'un mouvement de tête à la proposition raisonnable de Félix. Avant de quitter les lieux, ils firent des allers-retours entre la vieille grange et la forêt de pins voisine afin d'amonceler des branches et de la verdure sur le mystérieux trésor qu'ils souhaitaient protéger des curieux.

La marche du retour leur parut plus courte et moins ardue. Le sentier descendait en pente douce sur presque toute sa longueur jusqu'à Château-les-Lacs. Les randonneurs accélérèrent le pas. Poindeur délaissa son rôle d'éclaireur et trottina derrière le groupe, jusqu'à ce qu'ils aperçoivent la maison des Morel.

***

La première chose qu'ils firent en arrivant fut de prendre une douche chaude pour se réchauffer et détendre leurs muscles endoloris. Puis, Julien téléphona à Lucas afin de lui raconter leur périple à Val d'Illex. Il lui transmettrait les photos aussitôt qu'il pourrait se brancher à Internet... Lucas n'en crut pas ses oreilles. Lui non plus n'avait jamais entendu parler d'une Adelyne ni d'un brusleur. Il promit de donner ces informations à sa tante. La mystérieuse phrase trouvée dans la grange évoquerait peut-être quelque chose à Marylène. On souhaita du courage à Lucas pour ses traitements, lui jurant de l'informer si la petite enquête progressait.

Les garçons s'aperçurent que l'ordinateur familial était libre pour la soirée, Justine étant partie chez une copine. Mais, au moment où ils s'apprêtaient à s'installer devant l'écran pour naviguer dans Internet, ils furent réquisitionnés pour mettre la table. Léo redoutait le menu. Il n'aimait pas autant le fromage que Félix, et Sylvie avait préparé une raclette au bleu de Gex qui répandait dans la maison une odeur nauséabonde, un mélange de vomi et de vieille chaussette.

La conversation fut très animée au cours du souper. Léo conta la véritable histoire de l'âne Amandin. Félix et Julien expliquèrent leur découverte de la journée en montrant les photos de l'étonnante phrase gravée dans le bois. Les parents de Julien en furent amusés, sans plus. Délaissé à la suite d'une épidémie de peste survenue au début du XVIIe siècle, le hameau abandonné de Val d'Illex avait servi de quartier général aux quelques voyous de la région. Il était probable que l'un d'entre eux y ait laissé des graffitis. Quant à Violette, elle parut très intéressée par les révélations des garçons. Elle déclara que Val d'Illex s'appelait autrefois La Grotte du Loup et que c'était un gros village au temps du Moyen-Âge. Puis, elle perdit le fil des échanges, affirmant qu'elle trouverait le voleur rusé et méchant qui lui avait dérobé sa chemise de nuit...

7 . . . . LE BRUSLEUR

Une grande partie de la journée suivante fut consacrée à des visites touristiques. Félix et Léo avaient été prévenus dès leur arrivée : leur famille d'accueil désirait leur faire connaître les attraits de la région, ce qui relevait de son devoir dans le cadre de l'échange culturel.

Sylvie et Thierry élaborèrent un programme. Justine refusa de se joindre à l'escapade du groupe et resta à la maison avec Poindeur. En compagnie de la grand-mère, ils partirent tôt en direction de Lons-le-Saunier et du musée ultramoderne de La Vache qui Rit, ce fameux fromage fondu que Félix et Léo connaissaient bien. Au menu de l'après-midi figuraient deux visites : celle d'une ville fortifiée, où ils se promèneraient sur des remparts et apprendraient les secrets de la fabrication artisanale des sabots, et celle d'une bergerie dans la montagne.

Il était plus de dix-sept heures lorsque la camionnette des Morel passa devant le collège des Rochers sur la route du retour. Julien remarqua des voitures stationnées dans la cour et demanda à ses parents de les y déposer.

Ses amis et lui reviendraient à pied à la maison. On apercevait des lumières dans la salle du centre de documentation. S'ils étaient chanceux, ils pourraient naviguer dans Internet sur les trois ordinateurs afin de recueillir des renseignements à propos de l'ancien village de Val d'Illex. Les parents de Julien acquiescèrent à sa requête, étonnés de constater l'intérêt de ces jeunes pour la bibliothèque de l'école en pleine période de vacances scolaires. Leur camionnette disparut à l'horizon tandis que Félix et Léo suivaient Julien à travers le stationnement du collège.

— C'est super de venir ici, fit Léo. As-tu recopié la phrase de la grange, Félix?

— Évidemment. Mais, à force de la lire et de la répéter, je la connais par cœur!

Félix traînait les pieds. À l'instar de Léo, il se sentait courbaturé par leur longue randonnée de la veille et par les visites de la journée. Il y avait aussi autre chose. Il adorait le fromage et s'en gavait depuis leur arrivée en France. Son ventre était gonflé et pesant comme un boulet de canon.

Ils franchissaient les premières marches de l'escalier menant au centre de documentation lorsqu'une dame dans la cinquantaine en sortit.

— Ouille, ma prof de français! murmura Julien dans un souffle.

Ses cheveux étaient relevés en chignon, et des lunettes dorées ornaient le bout de son nez. Elle était vêtue d'un long châle en laine rouge et portait une grosse sacoche en bandoulière.

— Bonjour, Julien! s'exlama-t-elle, au comble de la surprise.

— Bonjour, madame Tournier.

— Que fais-tu ici avec tes invités du Québec?

— On vient voir si on peut utiliser les ordinateurs du centre de documentation.

— Je suis désolée, il est impossible que vous entriez. Le collège est fermé pour les vacances.

— Oui, je sais, mais j'ai vu de la lumière, et j'ai cru que la bibliothèque était ouverte. On voulait faire des recherches dans Internet.

— Nous avons réquisitionné la salle pour l'assemblée syndicale des professeurs aujourd'hui. Quel genre de recherches souhaitez-vous mener?

— Ben...

— Sont-elles en rapport avec tes devoirs de français?

Julien se mordit les lèvres. Madame Tournier le fixait en souriant, attendant une réponse. Il pria pour qu'elle ne lui demande pas où il en était dans son travail, car il ne se souvenait même pas qu'il avait des devoirs à faire.

— Non, avoua-t-il. On a trouvé une phrase bizarre, qui ressemble à du vieux français, et on aimerait savoir si elle a un sens particulier.

— Cela me paraît bien sérieux...

— Est-ce qu'on peut vous la montrer? demanda Félix en sortant son carnet.

— Pourquoi pas ! Je serais ravie de pouvoir vous aider.

Elle prit le calepin des mains de Félix avec délicatesse et lut le texte qu'il avait retranscrit en lettres majuscules : *QUE LE BRUSLEUR SOYT BAYGNÉ ET LA MÉMOYRE D'ADELYNE HONORÉE AU POYNT DES VACHES NORD EST — 1596.* Julien lui raconta leur expédition. Madame Tournier procéda à une nouvelle lecture.

— Cette phrase est surprenante, dit-elle enfin. Je n'ai pas d'idée précise sur ce qu'elle signifie. Je ne connais pas d'Adelyne. En revanche, le brusleur me fait penser à celui que certains appelaient le brûleur féroce, Henri Boguet. Te souviens-tu de tes cours avec monsieur Cointre, ton professeur d'histoire, Julien ? Je suis certaine qu'il vous a déjà parlé de ce personnage tristement célèbre, en classe ! Qui était Boguet ?

— C'était un... un juge ? bredouilla-t-il, incertain.

— Effectivement. Connaissez-vous un peu le passé de cette région, messieurs ?

Madame Tournier avait posé la question à Félix et à Léo.

— Pas beaucoup, répondit Félix d'un air piteux.

Ils ignoraient peut-être l'histoire avec un grand H, mais ils possédaient un scoop sur Amandin ! Ils auraient pu lui révéler la vérité sur l'âne géant ou lui décrire la façon dont on fabriquait La Vache qui Rit ou les sabots de bois, ce qui n'était pas si mal !

— Henri Boguet était un magistrat zélé et fanatique qui voyait le Diable partout, expliqua-t-elle. Vous savez sans doute qu'en France, du Moyen-Âge à la Renaissance, la chasse aux sorcières battait son plein. Eh bien! c'était particulièrement le cas en Franche-Comté et dans le Haut-Jura grâce à cet homme qui a instruit des dizaines de procès pour sorcellerie. Je ne suis pas une spécialiste d'histoire, mais il se trouve que je me suis déjà intéressée à la chasse aux sorcières, pour des motifs... féministes, disons.

— Des procès pour sorcellerie? reprit Léo, abasourdi.

Il dévisagea son frère. Félix semblait aussi ahuri que lui. Ils avaient entendu parler du procès des sorcières de Salem, dans l'État du Massachusetts, aux États-Unis: en 1692, dans un climat d'hystérie collective et de paranoïa, des personnes furent condamnées pour sorcellerie. Vingt-cinq d'entre elles furent exécutées, et près de deux cents, emprisonnées.

— Oui, des procès pour sorcellerie, reprit madame Tournier. Certains estiment qu'il y en aurait eu cent mille en Europe, du Moyen-Âge au XVIIIe siècle. Et cinquante mille exécutions.

— C'est débile, chuchota Félix, assommé par les chiffres.

— Cette chasse aux pratiques magiques condamnait surtout les femmes, considérées comme de dangereuses créatures du démon. Vous devriez lire sur ces sujets; c'est très instructif et absolument révoltant!

— De quand datent les procès de Boguet? demanda Léo, captivé.

— De la fin du XVIe siècle, si mes souvenirs sont exacts.

— Pensez-vous que cette phrase ait pu être écrite en 1596 et que le brusleur puisse être Boguet ?

— J'en doute fort, jeune homme, mais je ne suis pas archéologue. Vous ne pourrez en être certain que si vous faites expertiser votre trouvaille. Il est peu probable qu'il s'agisse d'un ancien texte, même si la structure et l'orthographe rappellent celles des manuscrits du Moyen-Âge ou de la Renaissance.

— On peut chercher dans Internet, suggéra Julien en s'adressant à ses amis.

— Vous devriez plutôt vous rendre à un centre d'archives régionales, déclara madame Tournier en remettant le calepin à Félix. Les plus proches se trouvent à Lons et à Anx.

— Ce sont des bibliothèques ? demanda Félix.

— En quelque sorte. Des personnes vous aideront à l'accueil pour repérer des documents. Cela ne signifie pas, toutefois, que vous y trouverez ce que vous cherchez !

— Vous connaissez le village La Grotte du Loup ?

— Non, mais je connais La Grotte aux Loups, La Grotte des Loups, Roche-aux-Loups, Les Vieux Loups, Mont-des-Loups...

— Hein ? fit Léo.

— Les noms de lieux faisant référence au loup ne manquent pas dans la région... Les paysans ont toujours eu extrêmement peur de cet animal sauvage qui peut s'attaquer à leur bétail ou transmettre la rage. Les loups étaient nombreux, jadis. Ces pauvres bêtes ont été décimées.

— On nous a dit que Val d'Illex s'appelait autrefois La Grotte du Loup.

— C'est possible ; c'est la première fois que j'en entends parler. Je dois vous quitter, maintenant. Vous savez, votre énigme me fait penser à une légende courant chez les anciens de la région.

— Une légende ? répéta Félix, intrigué.

— Oui. Dans ma famille, on évoquait cette vieille rumeur en parlant de l'affaire Desmeules. Une femme aurait été torturée, puis condamnée pour sorcellerie et brûlée sur le bûcher, dans un village montagnard de la vallée des Baumes. Je n'en sais pas plus, et ce n'est sans doute rien d'autre qu'un ragot. Cela ne m'étonnerait guère que l'inscription que vous avez repérée dans cette grange soit l'œuvre d'un malin ayant voulu redonner vie au brûleur féroce ! Quoi qu'il en soit, je vous souhaite bonne chance dans vos recherches. À bientôt !

Ils la remercièrent et prirent le chemin du retour. Ils tenteraient d'interroger la grand-mère de Julien à propos de cette légende. Ils ne purent le faire le soir même, car Violette dormait déjà lorsqu'ils franchirent le seuil de la maison des Morel.

8 . . . . LE MAGISTRAT GONDRIN

Sylvie, Violette et Poindeur étaient en route pour le marché des Blondines lorsque les garçons se levèrent. Julien profita du fait que l'ordinateur de la maison était libre pour se connecter à Internet. Il transmit à Lucas les photos qu'il avait prises du message dans la grange et évoqua l'horrible Boguet. Il vérifia ensuite les horaires d'ouverture du centre d'archives régionales le plus proche ainsi que ceux de l'autobus pouvant les y conduire. Félix appela ses grands-parents à Québec, puis ses professeurs accompagnateurs pour rendre compte du déroulement de son séjour. Il ne donna pas beaucoup de détails, indiquant que tout se passait très bien chez les Morel, qui étaient gentils et accueillants.

Malgré la forte pluie annoncée, ils décidèrent d'aller à Anx, située à une demi-heure d'autobus de Moranges. Thierry leur donna l'argent nécessaire pour s'acheter des sandwichs. Il leur fit promettre d'appeler d'une cabine téléphonique à la descente du car et de revenir à la maison pour dix sept heures. Julien protesta, jugeant le couvre-feu injuste, mais son père n'en démordit pas. Il avait la responsabilité des frères Valois. L'altercation familiale, qui se termina par la bouderie de Julien jusqu'à l'arrivée du bus, mit Félix et Léo très mal à l'aise. À cause du caractère bouillant de Julien, ils avaient failli manquer leur chance de consulter les archives. Cela aurait été malheureux, considérant l'intérêt de leur nouvelle énigme, probablement liée à un mystérieux brusleur impliqué dans des procès de sorcellerie...

***

— C'est tout?

La dame de l'accueil fixait Félix droit dans les yeux. Elle ressemblait à un harfang des neiges, avec son regard perçant et sa chevelure blanche et épaisse. Dès leur arrivée dans le centre d'archives, elle s'était proposée de les aider. Sur le papier qu'elle leur avait transmis et sur lequel ils devaient inscrire leurs sujets d'intérêt, Félix avait écrit: Henri Boguet, sorcellerie, Val d'Illex.

— Oui, lui répondit-il, intimidé.

La femme tapa quelques minutes sur le clavier de son ordinateur. Elle examina une longue liste, imprima des références et partit dans le couloir sans dire un mot, ses papiers à la main.

Félix, Léo et Julien attendirent dans le hall d'entrée. Ils avaient apporté un sac à dos contenant des cahiers vierges et des stylos. Le centre d'archives avait été aménagé dans un vieux bâtiment en pierre situé sur la place de la mairie. Au bout du couloir, derrière une large porte vitrée, ils apercevaient une salle avec des tables et des étagères pleines de livres et de dossiers. Des gens s'y étaient installés pour travailler. Un silence de mort semblait régner dans la pièce.

La dame de l'accueil surgit d'une porte et revint vers eux, trois gros dossiers dans les bras.

— Pour « Val d'Illex », nous n'avons rien. Pour « Sorcellerie », vous trouverez des éléments d'intérêt général dans deux registres. Pour « Henri Boguet », dans un seul. C'est plutôt au centre de Dole que vous pouvez consulter les archives concernant ce personnage, qui était un juge célèbre de cette ville. Vous avez droit à dix photocopies gratuites chacun. Au-delà de ce nombre, elles vous seront facturées vingt centimes d'euro. Vous devez travailler en silence, cela va de soi. Suivez-moi.

Félix, Léo et Julien suivirent la dame en direction de la salle d'études. Ils franchirent la porte vitrée, puis elle déposa les registres sur l'extrémité d'un long bureau, déjà occupé par un vieux monsieur qui scrutait la photographie d'une gravure à la loupe. Avant de quitter les jeunes visiteurs, elle rapprocha trois chaises autour de la table, non sans avoir signalé de nouveau, l'index posé sur la bouche, l'interdiction de faire du bruit.

Félix sortit cahiers et stylos. Chacun s'empara d'un dossier pour commencer l'examen des archives, des recueils de documents rares ou anciens, photocopiés et reliés. Julien mit la main sur un paragraphe traitant de la sorcellerie dans le Jura. Il voulut communiquer avec ses amis en chuchotant, mais le vieil homme les foudroya du regard. On pouvait entendre une mouche voler ou un estomac grogner sa faim dans cette salle à l'atmosphère tendue et désagréable. Ils durent s'y prendre autrement. Chaque fois que l'un d'entre eux repérait un contenu intéressant, il attirait l'attention des autres en tirant sur leur manche pour leur faire lire le passage en question.

Au fil de leurs lectures, ils comprirent mieux les raisons pour lesquelles ces mystérieux procès de sorcellerie s'étaient déroulés en Europe, et particulièrement en Franche-Comté. À la fin du XVIe siècle, les épidémies, le passage de troupes armées, la famine et les mauvaises récoltes avaient contribué à créer un climat d'insécurité dans les villages du Jura. On disait que le mauvais œil était partout et que le Diable était responsable de toutes les calamités. Il y avait aussi la police de l'Église, l'Inquisition. Elle luttait depuis le Moyen-Âge contre ce qu'elle appelait l'hérésie, c'est-à-dire les pratiques et les doctrines qui s'opposaient à la chrétienté et à l'Église catholique.

À cette époque, l'Église catholique souhaitait exercer un contrôle absolu sur les croyances et sur les modes de vie des populations. Il n'était pas question pour elle d'accepter dans les villages et dans les villes des pratiques faisant appel aux pouvoirs de la nature, à la magie ou à la médecine populaire. Ceux et celles qui s'adonnaient à ces pratiques étaient vite étiquetés complices du Diable... Les personnes pauvres et marginales, les guérisseuses, les malades, les excentriques et surtout les femmes se virent persécutés. Le tribunal de l'Inquisition mena ainsi une chasse aux hérétiques, qui se transforma avec le temps en chasse aux sorcières. Comme le découvrit Félix, le nombre d'arrestations fut spectaculaire du Moyen-Âge à la Renaissance. Des milliers d'individus furent dénoncés, accusés, condamnés, emprisonnés, exécutés. Les procédures judiciaires impliquèrent souvent le recours à la torture pour obtenir des aveux. Cela rappelait le triste sort d'Amandin... De 1434 à 1667, la Franche-Comté avait connu au moins sept cent quatre-vingt-quinze procès de sorcellerie !

Julien fut vite las de ces lectures et poussa de longs soupirs d'ennui. Quant à Félix et à Léo, ils eurent beau fouiller dans ces archives, il n'était nulle part question d'une Adelyne ni de Val d'Illex. Ils trouvèrent mention du brûleur féroce dans un article écrit par un historien local sur Henri Boguet. Le grand juge de la terre de Saint-Claude avait voulu anéantir ce qu'il appelait la secte de Satan et il avait instruit une trentaine de procès de sorcellerie de 1596 à 1606 en Franche-Comté, mais aucun d'entre eux ne semblait s'être déroulé à Val d'Illex ni à La Grotte du Loup.

Félix griffonna quelque chose sur une feuille de son cahier, qu'il montra aux autres.

> C'est pleins d'informations qui n'ont pas rapport à notre histoire.
> Est-ce qu'on demande à l'acceuil s'il y a des archives sur "affaires Desmeules", "Adelyne", et "grotte du loup" ?

Julien et Léo acquiescèrent d'un signe de la tête avec enthousiasme. Léo singea une prière et grimaça de peur comme s'il se rendait à l'abattoir, puis il prit le cahier et quitta la salle pour présenter leurs nouvelles requêtes à la dame de l'accueil.

Félix et Julien l'attendirent quinze minutes en feuilletant les documents devant eux, un peu distraits. Ils commençaient à s'inquiéter lorsque Léo franchit de nouveau la porte vitrée, le visage éclairé d'un sourire et un lourd registre dans les bras.

En s'asseyant près d'eux, il déposa le cahier où Félix avait écrit son mot. Deux thèmes avaient été rayés, signifiant qu'aucun document pertinent ne s'y rapportait selon le système de classement du centre. Par ailleurs, deux fautes de français avaient été corrigées par le harfang des neiges.

C'est plein d'informations qui n'ont pas rapport à notre histoire.
Est-ce qu'on demande à l'~~accueil~~ accueil s'il y a des archives sur "~~affaires Desmeules~~", "~~Adelyne~~", et "grotte du loup" ?

Vexé, Félix fit la moue. Ils changèrent de place et rapprochèrent leurs chaises afin de pouvoir examiner ensemble l'unique ouvrage. Leur voisin soupira en roulant de gros yeux dans leur direction, ce qui n'améliora pas l'humeur de Félix.

Plusieurs sujets étaient abordés dans le registre, qui ne comportait qu'une table des matières très générale. Il rassemblait des photocopies d'enluminures* de manuscrits du Moyen-Âge, des inventaires, des jugements de tribunaux, des histoires de dots et de mariages, d'héritages, de vente de lots de terre et de têtes de bétail... Il y avait trois cents pages de documents et d'anecdotes !

* Illustrations en couleur d'anciens manuscrits.

Les garçons se concentrèrent sur leur lecture sans trouver quoi que ce soit qui concernât La Grotte du Loup. Ils auraient bien aimé parler entre eux. Félix se demandait comment le système de classement de ce centre d'archives fonctionnait... À son avis, la dame s'était trompée. Il n'avait pas envie d'étudier ces pages une à une, pour s'apercevoir qu'elle leur avait transmis le mauvais dossier ! Par ailleurs, le fait que de nombreux documents étaient écrits à la main ou à l'aide de caractères d'imprimerie tarabiscotés ne leur facilitait pas la tâche.

Léo et Julien avaient faim et mal aux yeux. Au bout de trois quarts d'heure, ils cessèrent leurs efforts, se désolidarisant de Félix, qui souhaitait vérifier les jugements des tribunaux. Certains d'entre eux dataient des années qui les intéressaient. Léo était sur le point de proposer à son frère de quitter les lieux lorsque les yeux de ce dernier s'illuminèrent tels des saphirs. Il ramena le registre vers lui d'un geste vif. Il paraissait obnubilé par sa trouvaille. Intrigués, Léo et Julien se rapprochèrent pour contempler sa découverte.

Une quinzaine de pages regroupait la retranscription de deux arrêts, datés de 1595 et de 1596. Le rédacteur était un certain Barbe Gondrin, magistrat du tribunal d'Anx.

9 . . . . ARREST DU 17 JUIN 1595

Arrest mémorable de la cour du Parlement d'Anx donné à l'encontre d'ADELYNE THOMASSON. Instruction du juge Barbe Gondrin, représentant de Dieu et de la justice des hommes, tribunal d'Anx, Franche-Comté. Fait le dix-septième jour du moys de juin de l'an mille cinq cent nonante-cinq, à Anx.

Nous, juges et procureur fiscal du tribunal d'Anx, désirant de tout notre pouvoyr et de tout notre cœur garder le peuple chrétien confié à notre charge dans l'unité et la paix de la foy catholique, et le tenir éloygné de l'hérésie, spécialement de celle de sorcière, avons mené enqueste au cours des sept derniers jours dans les limites du village La Grotte du Loup de la vallée des Monts des Baumes et de ses alentours jusqu'à la distance de deux milles, concernant Adelyne Thomasson, vingt-cinq ans, habitant La Grotte du Loup, dénoncée par la rumeur pour crimes de sortilèges et perversion hérétique.

Après l'enqueste inquisitoyre menée dans le secret par le procureur fiscal Carteret et troys officiers dépêchés sur les lieux après dénonciation publique de l'accusée, et la recherche des preuves de culpabilité et les perquisitions, Adelyne Thomasson a été mise aux arrests et emprisonnée dans l'ancienne étable d'un dénommé Hugon transformée en salle d'audience et prison.

Selon les dépositions des témoyns, gens de foy et de bonne réputation, les pièces à conviction et les informations recueillies, les charges avérées contre l'accusée sont : enfantement de monstres, usage des sciences interdites (magie noyre, usage du mauvais œil et des forces occultes, envoûtements et commandement de maladies mystérieuses et soudaines au moyen de plantes, déclenchement de tempestes, destruction de bétail et de récoltes, sortilèges), mauvaise réputation, possession d'herbes maléfiques, copulation avec des chats et parricide.

L'interrogatoyre a été mené sur les lieux par moymême, Barbe Gondrin, grand juge du tribunal d'Anx, en présence du procureur fiscal Carteret, de six officiers et de mon commis scribe.

Dès le début de la procédure judiciaire, l'accusée à la chevelure rousse et au regard vert et fuyant tel celui du chat démoniaque a refusé de passer aux aveux. Aux questions habituelles, elle n'a pas répondu, réfutant avec virulence sa participation au sabbat que plusieurs solides témoygnages confirment. Adelyne Thomasson n'a cessé de verser des larmes, contredisant la Question XV de la partie III du traité Malleus Maleficarum, manuel raisonné des chasseurs de sorcières selon lequel on a beau presser et exhorter une sorcière à pleurer, si elle est réellement sorcière, elle sera incapable de verser des larmes. Il se peut que cette disposition d'Adelyne Thomasson soyt une autre ruse du démon.

Grand illusionniste, Satan aura dicté à sa maîtresse une façon féminine de contourner la justice divine et celle des hommes.

La femme a de tout temps été un estre inconsistant et fourbe qu'il faut surveiller. Son corps est un mystère dangereux, son esprit faible est une menace. Complices de Satan, les sorcières se voyent offrir des pouvoyrs maléfiques leur permettant de servir leur maître. Faisant usage des sciences interdites et des forces occultes, elles jettent des sorts, rendent les bestes et les femmes stériles, et les hommes impuissants. Elles empoysonnent l'eau, répandent la peste en enduisant les poygnées de porte d'une graisse spéciale. Elles connaissent des secrets guérissant par magie, tuent de leur haleine et endommagent en frappant avec une baguette. Elles se transforment en chat pour grimper dans les berceaux et étouffer les bébés ou en loup-garou pour attaquer les voyageurs. Nous les savons aussi insensibles à la torture.

De fait, dans l'exercice de connaître si Adelyne Thomasson est sensible à la douleur et porte le stigma diabolicum, nous l'avons rasée complètement, puis piquée avec des ayguilles. Ses cris ont été entendus. Nous avons cherché sur son corps l'épine noyre et les griffes de Satan, vainement.

Le Traité le mentionne à la Question XIV de la partie III, à propos de la manière de condamner l'accusée à la torture: si, après un supplice décent, elle ne veut pas avouer, on fait voyr à la sorcière d'autres genres de tortures, en lui disant qu'il lui faudra les subir si elle ne veut pas dire la vérité. Procédure dont se serait habilement chargé le bourreau Bichon s'il avait pu estre convoqué sur place avec ses instruments.

Faute de quoy, j'ai ordonné que l'accusée Thomasson soyt attachée à une chaise durant deux jours pour réfléchir à l'expiation de ses péchés exécrables.

L'accusée a toutefoys ignoré la peur et la souffrance, refusant toujours d'avouer ses crimes et de reconnaître les faits auxquels le Diable l'a contrainte. La sorcellerie est un crime véritable, une hérésie qu'il faut combattre, et la peine de mort sied à tout coupable de sortilèges. C'est pourquoy tous les moyens doyvent estre mis en œuvre pour identifier et poursuivre la sorcière. Suivant les procédures du bain des sorciers, j'ai fait baygner l'accusée, épreuve de noyade dont elle est sortie miraculeusement vivante après des minutes d'agitation.

Après examen des faits retenus contre l'accusée et des preuves flagrantes de sa culpabilité, le tribunal d'Anx a dressé le présent arrest, qui rend la sentence prononcée définitive et immédiate.

Pour avoyr bafoué la dignité de Dieu en profitant de sa bonté, et s'estre rendue coupable de perversion hérétique et du crime de sorcellerie, Adelyne Thomasson sera livrée au bûcher, sur la place du village de La Grotte du Loup. La femme, elle-même feu, souffle chaud et maléfique qui empoysonne et rend malade, sera offerte à Dieu en réparation, car l'Église et la loy divine nous dictent de vouer tout pêcheur aux flammes de l'enfer. Lors du jugement dernier, le Christ séparera les bons à sa droyte des mauvais à sa gauche et dira à ces derniers : « Allez-vous en loyn de moy, maudits dans le feu éternel qui est préparé pour le Diable et ses anges. » Si le feu de l'enfer est l'instrument de la justice divine, celui du bûcher sert la justice des hommes, feu exterminateur des sorcières et purificateur de la terre. Puisset-il enrayer le mal qui par Adelyne Thomasson se propage dangereusement dans le village de La Grotte du Loup. Nous recueillerons les dernières paroles de cette pécheresse, ainsi que ses dernières dénonciations. Par la grâce de notre Prince, ordonnant que seuls les loups-garous soyent jetés vivants dans le brasier, la condamnée sera strangulée avant que le feu ne la réduise en cendres, lesquelles seront jetées à la rivière. Toute personne refusant d'assister à la mise à mort sera suspectée de complicité.

Louange soyt à Dieu, ruine à l'hérésie, paix aux vivants, repos éternel aux défunts. Amen.

10......... ARREST DU 29 AOÛT 1596

Arrest mémorable de la cour du Parlement d'Anx donné à l'encontre de ROLANDE THOMASSON. Instruction du juge Barbe Gondrin, représentant de Dieu et de la justice des hommes, tribunal d'Anx, Franche-Comté. Fait le vingt-neuvième jour du moys d'août de l'an mille cinq cent nonante-six, à Anx.

Nous, juges et procureur fiscal du tribunal d'Anx, désirant de tout notre pouvoyr et de tout notre cœur garder le peuple chrétien confié à notre charge dans l'unité et la paix de la foy catholique et le tenir éloygné de l'hérésie, spécialement de celle de sorcière, avons mené enqueste au cours des quatre derniers jours dans les limites du village La Grotte du Loup de la vallée des Monts des Baumes et de ses alentours jusqu'à la distance de deux milles, concernant Rolande Thomasson, vingt-sept ans, habitant La Grotte du Loup, dénoncée par la rumeur pour crimes de sortilèges et perversion hérétique, et arraisonnée par un paysan au petit matin du vingt-deuxième jour de ce moys, alors qu'elle tentait de fuir la vallée.

Selon les dépositions des témoyns, gens de foy et de bonne réputation, les pièces à conviction et les informations recueillies, les charges avérées contre l'accusée sont : appropriation du bien d'autrui, profanation et destruction d'un livre sacré, usage des sciences interdites (usage du mauvais œil, sortilèges et envoûtements par les plumes et les mots), refus d'assister à une mise à mort, parricide, relations exécrables avec le voysinage, destruction de potager, dressage de cochons dans le but de nuire, amitiés douteuses, vol en pleine nuit, copulation satanique, participation au sabbat, mauvaise réputation et lien de parenté avec une sorcière livrée au bûcher.

L'accusée a été emprisonnée à La Grotte du Loup, dans la grange d'un dénommé Mallouard transformée en salle d'audience et prison. L'interrogatoyre a été mené sur les lieux par moy-même, Barbe Gondrin, grand juge du tribunal d'Anx, en présence du procureur fiscal Carteret, de quatre officiers du tribunal, du bourreau Bichon et de mon commis scribe.

L'accusée a réfuté chacune des charges, dont celles, gravissimes, de profanation et de destruction du traité Malleus Maleficarum par l'usage de sciences interdites et de sortilèges. L'accusée s'est défendue avec rage et une certaine intelligence. Ses mots déliés et sa pensée bien faite nous portent à croyre que c'est le Diable en personne qui parle par la bouche de Rolande Thomasson.

Dans l'exercice de connaître si l'accusée porte le stigma diabolicum, nous avons cherché sur son corps rasé l'épine noyre et les griffes de Satan, ainsi que des preuves d'insensibilité à la douleur. Vainement.

L'accusée a ensuite été confrontée aux témoyns l'ayant aperçue au sabbat se donner au démon et voler à califourchon durant les nuits de pleine lune. La Question VI de la partie I du *Malleus Maleficarum*, portant sur la façon dont les sorcières se livrent aux démons, nous explique pourquoy la femme est capable d'un très haut degré de vertu et de vice. La femme qui pense seule pense à mal, et sa malice peut estre grande. Des hommes ont affirmé avoyr vu l'accusée la veille de son arrestation traverser le village, grimée comme la maîtresse du Diable revenant d'une orgie. Ses habits de mendiante et son visage décoré de peintures vulgaires au moment de son procès appuient l'authenticité de ces déclarations. Toutefois, l'accusée n'a cessé de nier son usage des sciences interdites et sa participation aux assemblées démoniaques.

Le traité *Malleus Maleficarum* nous rappelle, dans les réponses qu'il donne aux Questions XIII et XV de la partie III, que la torture est souvent inutile sur la sorcière, puisque celle-ci porte en elle le sort de taciturnité et des recettes l'empêchant de souffrir. Cependant, l'accusée doyt parfoys y estre exposée afin de confesser plus vite ses fautes et ses pêchés. C'est pourquoy l'accusée Thomasson, refusant d'avouer ses crimes exécrables, a été condamnée à la question. Il est de notre devoyr de mettre en œuvre tous les moyens valables pour désenvoûter le village de La Grotte du Loup, soumis à la puissance satanique de cette famille.

Bichon a choisi le châtiment du trépied ardent. Il a forcé l'accusée à s'asseoyr sur un tabouret bruslant chauffé dans la forge du village. Elle a hurlé d'une douleur qui ne semblait pas feinte, mais le supplice n'a pas perduré ni permis la confession des aveux, puisque l'accusée a perdu connaissance. Le tabouret a basculé sur la paille, renversant Rolande Thomasson, dont le postérieur est resté collé sur la chaise incandescente durant plus d'une minute. Une odeur infecte de viande calcinée ainsi qu'une fumée noyre ont envahi la grange, nous contraygnant à l'évacuer aussitôt afin de nous soustraire au sortilège des volutes maléfiques.

Le lendemain, l'accusée a été trouvée morte dans la position où on l'avait laissée la veille, attestant hors de tout doute la présence du Diable en ces lieux.

Après examen des faits retenus contre l'accusée et des preuves flagrantes de sa culpabilité, le tribunal d'Anx a dressé le présent arrest, qui rend la sentence prononcée définitive et immédiate.

Pour avoyr bafoué la dignité de Dieu en profitant de sa bonté et s'estre prostituée au démon, Rolande Thomasson, punie par la justice divine le vingt-huitième jour du moys d'août de l'an mille cinq cent nonante-six, a été jugée coupable de perversion hérétique et du crime de sorcellerie.

Louange soyt à Dieu, ruine à l'hérésie, paix aux vivants, repos éternel aux défunts. Amen.

11 . . . . DES FAITS HORS DU COMMUN

Félix, Léo et Julien avaient lu les textes d'une seule traite, hypnotisés par l'histoire effrayante que racontaient ces lignes datées de la fin du XVIe siècle et rédigées par un juge de la région, le magistrat Barbe Gondrin.

Félix s'empara d'une feuille vierge de son cahier pour y inscrire un nouveau message à l'intention de Léo et de Julien.

On fait des photocopies de ces textes et on sort d'ici. Vous êtes d'accord ?

Les visages de Léo et de Julien s'illuminèrent. Bien sûr qu'ils étaient d'accord avec Félix ! Ils étaient impatients de quitter la salle et de pouvoir parler entre eux !

Félix vérifia si le dernier registre contenant les arrêts de Gondrin ne renfermait pas d'autres renseignements liés à leur énigme. Il n'en trouva pas. Puis, il marqua d'un bout de papier certaines pages des archives déjà consultées qui donnaient des définitions à propos du monde des sorcières; il en ferait aussi des photocopies.

Il était plus de quatorze heures lorsqu'ils sortirent du centre d'archives régionales d'Anx, leur sac à dos rempli d'informations. La pluie tombait à verse sur la place de la mairie. Malgré tout, c'était un vrai bonheur de mettre le nez dehors, d'autant que les procès dont ils venaient d'être les témoins silencieux avaient assombri leur humeur.

Julien proposa d'aller à une sandwicherie située au coin de la rue, car ils avaient une faim de loup et très hâte de partager leurs réflexions dans un endroit tranquille. Ils s'installèrent à une table située au fond de la salle déserte et commandèrent un panini avec un chocolat chaud.

— Ma grand-mère avait raison ! fit Julien en finissant son casse-croûte. La Grotte du Loup de la vallée des Monts des Baumes est bien l'ancien nom de Val d'Illex !

— Est-ce que tu crois que ces textes racontent l'affaire Desmeules, dont nous a parlé ta prof, madame Tournier ? lui demanda Léo.

— Je n'en sais rien.

— En tous cas, une chose est sûre, déclara Félix, l'air grave. *Les Arrests mémorables* du juge Gondrin nous apprennent que pas un, mais deux procès pour sorcellerie se sont déroulés à La Grotte du Loup. C'est complètement débile...

Sa dernière bouchée avalée, Léo sortit les feuilles de leur sac à dos pour les examiner de nouveau. Ses yeux pétillaient plus que de coutume.

— Récapitulons, proposa-t-il, excellant dans cet exercice. Deux femmes, Adelyne et Rolande Thomasson, ont été jugées pour crime de sorcellerie, à presque une année d'intervalle. Adelyne, âgée de vingt-cinq ans, a été accusée le 17 juin 1595 d'enfantement de monstres, d'usage des sciences interdites, de mauvaise réputation, de possession d'herbes maléfiques, de copulation avec des animaux et même de meurtre... Un parricide, c'est un meurtre, non ?

— Oui, répondit Félix. C'est quand on assassine un parent...

— Bon, poursuivit Léo. L'autre femme, Rolande, a été accusée au mois d'août 1596. Voici la liste de ses crimes : appropriation du bien d'autrui, profanation et destruction d'un livre sacré, usage des sciences interdites, refus d'assister à une mise à mort...

— On lui a reproché de ne pas assister à une mise à mort, marmonna Julien. Trop bizarre...

— Meurtre, mauvais voisinage, destruction de potager et dressage de cochons dans le but de nuire ! compléta Léo, qui lisait le texte. Attendez, ce n'est pas fini ! Amitiés douteuses, vol en pleine nuit, copulation satanique, participation au sabbat et lien de parenté avec une sorcière livrée au bûcher !

— Ce n'est pas croyable, dit Félix, interloqué. Vol en pleine nuit, parenté avec une sorcière... C'est quoi, toutes ces inculpations ? Elles n'ont pas de sens !

— Selon ces documents officiels, dit Léo en reprenant son sérieux, le juge et ses hommes ont mené des enquêtes auprès des villageois de La Grotte du Loup pour accumuler des preuves contre Adelyne et Rolande Thomasson, et pour préparer leurs interrogatoires.

— Tu parles ! s'emporta Félix. On a l'impression qu'ils étaient convaincus de leur culpabilité avant même que les procès commencent ! Comme s'ils avaient voulu extirper des aveux plutôt que de chercher à savoir si ces femmes étaient coupables. Tu parles d'un juge...

— D'autant plus qu'on les a torturées, ajouta Julien, consterné.

— L'une a été étranglée avant d'être brûlée sur le bûcher, rappela Félix avec une moue écœurée, alors que l'autre est morte en prison, des suites de... de... des suites de quoi déjà, Léo ?

— Du supplice du trépied ardent, compléta Léo en retrouvant le passage du texte où il était question de l'affreuse torture. Comment va-t-on pouvoir continuer nos recherches et comprendre ce qui s'est passé, alors que personne ne semble connaître le vrai nom du village dans lequel ces femmes ont vécu, et que Val d'Illex est à l'abandon depuis des siècles ?

— Ouais, soupira Félix. Je suis d'accord avec toi que ça va être difficile...

— Vous pensez que Gondrin est le brusleur mentionné dans le mystérieux message de la grange en ruine ? leur demanda Julien.

Félix se redressa sur son siège, l'air grave. Il souhaitait se lancer dans une analyse à laquelle il pensait depuis un petit moment.

— *Que le brusleur soyt baygné et la mémoyre d'Adelyne honorée au poynt des vaches nord-est* — 1596, rappela-t-il. L'année 1596 est celle du procès de Rolande… Moi, je pense que la grange de Val d'Illex où on a repéré la planche pourrait être celle dans laquelle Rolande Thomasson a été emprisonnée et torturée. Dans son texte, Barbe Gondrin écrit : *L'accusée a été emprisonnée à La Grotte du Loup, dans la grange d'un dénommé Mallouard transformée en salle d'audience et prison.* Je crois qu'on a découvert les ruines de la propriété de cet affreux Mallouard !

Léo et Julien demeurèrent silencieux, épatés par la clarté et l'évidence de l'analyse de Félix.

— Mais que signifie la fin du message, *au poynt des vaches nord-est* ? lui demanda Julien.

— Je l'ignore.

Ce fut à Julien de s'emparer des copies du texte des procès, qu'il consulta de nouveau.

— Il y a plein de mots que je ne comprends pas dans ces vieux textes ! dit-il enfin. Vous savez ce que c'est, vous, les sciences interdites ? Et ce machin, le *Malleus Maleficarum* ? Et le *stigma diabolicum* ?

— Pas plus que toi ! lança Léo en rigolant.

— J'ai photocopié plusieurs définitions au centre d'archives, dit Félix.

— Tu n'as qu'à nous les lire, Léo, proposa Julien.

12 . . . . LES SCIENCES INTERDITES

Léo fit un tri rapide des photocopies, puis il commença sa lecture à voix basse.

— *Le sabbat est une assemblée de débauche nocturne des sorcières, au cours de laquelle celles-ci organisent des festivités en l'honneur de Satan, qui préside lui-même la cérémonie. Pour se rendre à ce rassemblement, les sorcières chevauchent des bêtes et parcourent de larges étendues. Certains affirment qu'elles enduisent un bâton — des branches de saule ou de chêne — d'un onguent ou de graisses faits du corps d'enfants tués avant le baptême. Ce stratagème les rend invisibles et leur permet de s'élever au-dessus du sol pour voler.* Super !

— D'où la légende des sorcières à califourchon sur leur balai, murmura Félix, abasourdi.

— *Le sabbat n'a lieu que durant la nuit, puisque Satan est le prince des ténèbres, et que la nuit symbolise la peur des hommes, la conspiration, les péchés, la possibilité de rencontrer des êtres merveilleux et des monstres dans la forêt,* poursuivit Léo. *Déguisées, les sorcières se réunissent* autour d'un grand feu et se livrent à l'adoration de leur maître, le Diable. Elles lui donnent un baiser infâme sur le derrière en signe de soumission, dansent et s'accouplent jusqu'au lever du soleil. Beurk, c'est dégueu!

Léo fit une grimace de dégoût. Julien s'empara de plusieurs feuilles et relut la liste des crimes dont les femmes Thomasson étaient accusées.

— *Copulation avec des chats, dressage de cochons dans le but de nuire, vol en pleine nuit, copulation satanique, participation au sabbat.* C'est trop bizarre!

— Ouais, lâcha Félix. Je me demande ce qu'elles ont réellement fait pour mériter un procès!

— Gondrin écrit: *La femme a de tout temps été un être inconsistant et fourbe qu'il faut surveiller*, ajouta Julien. *Son corps est un mystère dangereux, son esprit faible est une menace.* Je dois apprendre ces phrases par cœur pour les ressortir à ma sœur! C'est marrant!

— Bon, je continue, fit Léo qui n'avait pas envie de rire. *Les sciences interdites sont l'ensemble des croyances, doctrines et pratiques issues de la superstition, de la magie diabolique et de l'hérésie de sorcellerie; elles symbolisent le refus de l'Église catholique et l'allégeance au démon.* On n'a rien sur le traité *Malleus Maleficarum*, ce que Gondrin appelle le manuel raisonné des chasseurs de sorcières?

— Non, répondit Félix. Je n'ai pas eu le temps de chercher.

— *Le stigma diabolicum est le symbole du pacte liant la sorcière au démon. Cette marque que le Diable fait sur le corps de ses sujets pour les reconnaître et se les attacher* prend la forme d'une insensibilité de l'épiderme, d'une marque de griffe noire ou d'un grain de beauté gros ou mal placé. Pour faciliter la recherche du stigma, l'accusée est mise à nu et rasée afin qu'aucun poil ni aucun cheveu ne subsistent sur son corps, car la force des sorcières réside dans leurs poils!

— C'est complètement débile, dit Félix tandis que Julien faisait le pitre avec sa tignasse blonde.

— Vous désirez reprendre quelque chose?

Les garçons sursautèrent. L'unique serveur de la sandwicherie avait quitté son comptoir et se tenait près de leur table.

— Un autre chocolat, peut-être? suggéra-t-il d'un air grognon.

Julien hocha timidement la tête. Plongés dans le mystère de leur énigme, ils avaient oublié qu'ils étaient au restaurant. Le serveur s'en alla, et Julien jeta un œil à sa montre. Léo tourna des feuillets et reprit la parole.

— *Les tortures... Le tourment des menottes consiste à attacher des fers aux poignets de l'accusée afin d'empêcher tout mouvement, puis de tourner progressivement les vis pour écraser les os avec lenteur et assurance. Le châtiment de l'estrapade consiste à fixer des poids de douze kilogrammes aux pieds de l'accusée, puis de la hisser au moyen d'une corde passée sous ses bras pour la laisser tomber brutalement et disloquer son corps. Si tout se passe bien, l'accusée ne soutient pas longtemps le craquement de ses membres et ne résiste pas à passer aux aveux.* Si tout se passe bien? Ça va pas la tête? D'où elles sortent, tes définitions, Félix?

— Je vous l'ai dit, expliqua celui-ci. Elles proviennent des archives. Certaines d'entre elles ont été écrites du temps de la chasse aux sorcières.

— Le supplice du trépied ardent qu'a enduré Rolande Thomasson est horrible, remarqua Julien. Vous vous rendez compte que cette femme est morte à cause de ce truc?

— Ouais, c'est débile, déclara Félix, écœuré. D'après ce qu'on comprend, elle était en train de fuir le village lorsqu'on l'a arrêtée. On l'a emprisonnée, interrogée, torturée. Tout ça s'est déroulé entre le 21 et le 28 août 1596, date à laquelle elle a été trouvée sans vie dans la grange transformée en prison.

— Et si c'était elle qui avait écrit le message sur la planche? lui dit Julien.

— J'y pense depuis qu'on a lu les arrêts de Gondrin... Elle aurait pu le graver *pendant* qu'elle était prisonnière de la grange de Mallouard.

— Il daterait donc de la fin du mois d'août 1596!

— Évidemment, il faudrait que des spécialistes puissent expertiser ce bout de bois.

Tout en cherchant d'autres définitions à lire, Léo suivait avec grand intérêt la discussion qui se déroulait entre Félix et Julien.

— Toute cette histoire d'accusations, de procès et de torture, on dirait une conspiration, conclut Julien.

— Tu as raison, lui répondit Félix. C'est comme si les gens avaient peur et qu'ils s'étaient mis d'accord pour expliquer tous les trucs étranges ou malheureux en disant que ces trucs étaient l'œuvre du Diable. Ils accusaient des femmes qui n'avaient rien fait pour trouver une raison à ce qu'ils ne savaient pas expliquer par la logique.

— Et c'est quoi, cette histoire de loup-garou, dans le procès d'Adelyne?

— J'ai lu tantôt que les loups-garous étaient les hommes condamnés à errer la nuit sous la forme d'un loup, ajouta Félix. Ils étaient accusés de lycanthropie, et on disait qu'ils avaient signé un pacte avec le démon, comme les sorcières. La décapitation et le feu étaient les façons les plus efficaces de les tuer... Ceux qu'on accusait de lycanthropie n'avaient pas le privilège d'être étranglés avant d'être brûlés sur le bûcher : ils étaient jetés vivants dans les flammes!

— Le privilège d'être étranglés?

— C'est ce qui était écrit dans le texte que j'ai lu!

— Trop bizarre!

— Et, pour finir, intervint Léo, *le bain des sorciers: L'épreuve est infligée à la personne soupçonnée de sorcellerie, puisque la capacité de flotter sur l'eau constitue une preuve infaillible de culpabilité. On attache l'accusée à une lourde roche avant de la précipiter dans une mare, une rivière ou un puits. Si elle coule à pic et se noie, tel que cela doit se produire normalement, c'est qu'elle est innocente. Si elle surnage, c'est qu'elle est coupable de sorcellerie et mérite le bûcher.*

Félix eut un haut-le-cœur.

— Dans les deux cas, elle meurt, murmura-t-il.

— Ça me dégoûte! s'exclama Julien. Je n'irai plus jamais à Val d'Illex!

— On n'aura pas le temps d'y retourner avant de rentrer au Québec? lui demanda Léo, surpris.

— Ben si, j'imagine!

— Il faudra retirer la planche gravée, précisa Léo en fixant Julien droit dans les yeux. On n'aura pas le choix.

— Mes parents nous diront quoi faire.

— Vous imaginez qu'on a peut-être trouvé une phrase écrite par une femme accusée de sorcellerie en 1596? leur lança Félix, fasciné. C'est complètement débile!

— Si seulement ça pouvait me rapporter une bonne note en histoire! soupira Julien alors que le serveur leur apportait leur seconde boisson chaude.

13. . . . . VIOLETTE

Le temps du couvre-feu avait presque sonné lorsqu'ils franchirent la porte des Morel. Seule avec Poindeur, Sylvie était en état de panique, et ses yeux rouges montraient qu'elle avait pleuré. Violette avait disparu !

La grand-mère de Julien n'avait pas été revue depuis quinze heures, heure à laquelle elle était sortie dans le jardin en marmonnant et en s'emparant du râteau posé contre le mur de l'entrée. Poindeur avait voulu la suivre, mais il avait été retenu par Thierry, qui devait l'emmener chez le vétérinaire pour qu'il reçoive son vaccin annuel. Pensant que Violette allait jardiner chez le voisin, comme elle en avait pris l'habitude en fin d'après-midi, Sylvie n'avait pas vu le temps passer, occupée à la préparation d'un gâteau aux noix. Lorsqu'elle était enfin allée chercher la vieille dame, son voisin lui avait affirmé qu'il ne l'avait pas croisée de la journée. On avait téléphoné à ses meilleurs amis ainsi qu'à la boulangère, chez qui Violette, très gourmande, fuguait parfois. La grand-mère de Julien demeurait introuvable.

À son retour, Thierry avait demandé à Justine de parcourir les rues de Moranges et des Blondines en mobylette pour tenter de repérer Violette, puis il avait pris la camionnette avec l'intention d'interroger les gendarmes et de se rendre à l'hôpital le plus proche. Au comble de l'anxiété, Sylvie ne savait plus quoi faire. Elle était restée à la maison en attendant des nouvelles.

Julien était désemparé. Félix et Léo lui proposèrent de repartir immédiatement. Ils iraient marcher le long de la route du col de la Faux. Personne ne semblait encore avoir entrepris de recherches dans cette région. Aucune raison ne légitimait une fugue de mémé Violette dans la montagne. Mais on ne pouvait deviner ce qui se tramait dans l'esprit de la petite dame, qui perdait parfois le nord... Ils ne risquaient rien à vérifier, et ils auraient le sentiment de servir à quelque chose, plutôt que de se ronger les ongles à la maison. Julien accepta. Ils vidèrent un des sacs à dos, y placèrent une couverture, un coupe-vent, un paquet de biscuits, une bouteille d'eau et une torche électrique. Julien promit à sa mère de ne pas s'écarter du chemin principal. Si tout rentrait dans l'ordre, Thierry irait bientôt à leur rencontre.

Après avoir renfilé leurs imperméables trempés, les garçons quittèrent Moranges pour suivre le tracé de la route partant vers le sud. La pluie cessa. Poindeur les escortait sans trop de mal, trottinant derrière eux en remuant la queue. Si sa visite chez le vétérinaire avait absorbé une partie de son énergie, le vieux chien blanc ne paraissait pas moins content de cette excursion imprévue.

Le soleil ne se couchait pas avant vingt et une heures à cette période de l'année mais, en raison des montagnes environnantes, le paysage était dans la pénombre depuis longtemps. Félix, Léo et Julien marchaient d'un pas vif, scrutant en silence les abords de la forêt et les pâturages s'étendant jusqu'au fond de la vallée, à la recherche de mémé Violette. Julien frémissait d'effroi à l'idée qu'elle ait pu s'aventurer jusqu'ici. La route était déserte et grimpait en lacet dans les hauteurs. Sur leur gauche, au loin, ils devinaient le plateau herbu sur lequel s'accrochaient les ruines obscures de Val d'Illex. Il n'était plus temps de penser à Adelyne ni à Rolande. Violette était désormais la seule énigme à résoudre...

Ils longeaient la route depuis plus d'une heure quand Poindeur les dépassa en trottant. Sa silhouette de loup blanc se détachait sur la route goudronnée lustrée par l'eau du ciel. Il poussa un aboiement sec et accéléra l'allure. Les trois garçons échangèrent un regard plein d'espoir et se mirent à courir à sa suite.

— Mémé ? cria Julien de toutes ses forces.

Ils l'aperçurent assise sur le bord du fossé. Elle parlait seule, de sa voix de souris. Des mèches de cheveux blancs et ses épaisses lunettes dépassaient de la capuche de son poncho imperméable rouge. Elle tenait un râteau et des fleurs coupées dans sa main gauche, et paraissait de très bonne humeur. Elle se leva en voyant arriver les jeunes et Poindeur, qui l'avait repérée le premier.

— Poindeur ! Les z'enfants !

— Qu'est-ce que tu fais là, mémé ? s'exclama Julien, effaré.

— Chu allée chez mon amie Lucette !

— Tu vas mettre la couverture sur toi, mémé ! ordonna-t-il en l'extirpant du sac à dos. Sous ton imperméable. Tu dois être complètement gelée !

— Meuh non, mon Juju ! Lucette m'a prêté des affaires à cause d'la pluie.

D'un air têtu, elle montra son imperméable à son petit-fils. Violette raconta qu'elle était allée rendre visite à son amie Lucette, qui habitait Saint-Lutin, car cela faisait bien longtemps qu'elle ne l'avait pas vue.

— Tu aurais pu te perdre, mémé ! lança Julien, au comble de l'affolement.

— Ch'connais la région, mon Juju.

— Comment es-tu allée à Saint-Lutin ? C'est à douze kilomètres de la maison, par la route !

— C'est l'nouveau postier qui m'a emmenée avec son triporteur.

— Et tu marches depuis longtemps ?

— L' voisin de Lucette a proposé de m'reconduire. Je lui ai dit de m'déposer ici parce qu'on venait m'chercher.

— Tu lui as dit qu'*on venait te chercher* ? Mais personne ne savait que tu étais ici ! Comment voulais-tu qu'on...

— Y a des fleurs tout partout, ici, coupa Violette en montrant le fossé. Si je lui avais dit que je voulais ramasser des fleurs, penses-tu qu'y m'aurait laissé faire ?

— Non, il ne t'aurait pas laissé faire, mémé, et il aurait eu raison, soupira Julien, découragé. Quand je pense que les parents s'inquiètent à mourir! Tu ne vas jamais chez Lucette... Pourquoi tu ne les as pas prévenus que tu y allais aujourd'hui?

— J'l'ai dit à Poindeur, mon chien. S'y s'inquiètent pour le râteau, c'est moi qui l'ai. Chais pas pourquoi, d'ailleurs.

— Je cours à la maison les avertir qu'on t'a retrouvée. Vous pouvez rester avec elle, Félix et Léo?

— Bien sûr! répondit Félix, aussi ravi que Léo de constater l'heureux dénouement de cette mésaventure. On va marcher tranquillement sur le chemin du retour pour éviter d'attraper froid. Si ta grand-mère n'est pas fatiguée, évidemment.

— Génial! fit Julien. À tout de suite. Retenez Poindeur, s'il vous plaît, je veux qu'il reste avec vous. Il ne faut pas qu'il me suive.

Julien remit la couverture dans le sac à dos, puisque sa grand-mère n'en voulait pas. Puis il donna le sac à Léo et s'éloigna. Demeuré contre les jambes frêles de Violette, Poindeur ne jappa qu'une seule fois.

— Est-ce que vous avez faim? demanda Léo en fouillant dans leur sac.

— Oui, vous devriez manger, Violette, c'est une bonne idée, dit Félix en attrapant le paquet de biscuits que Léo lui lançait.

— Non, z'êtes gentils, mes p'tits. Me suis bourrée d'gâteaux chez Lucette!

Félix dévisagea Léo, embarrassé. Ils avaient faim tous les deux et ils décidèrent d'entamer les sablés au beurre salé. Violette avançait avec lenteur et trop peu d'équilibre. Félix s'en inquiéta. Ce n'était pas le moment qu'elle tombe sur l'asphalte rugueux et mouillé. Il la débarrassa de ses objets et lui prit le bras pour marcher avec elle, aux côtés de Poindeur. Au rythme auquel ils cheminaient, la nuit tomberait bien avant qu'ils aperçoivent le toit pentu du chalet des Morel...

— Violette, vous vous souvenez que, l'autre jour, vous nous avez dit que Val d'Illex s'appelait La Grotte du Loup autrefois ? lui dit Félix.

— Oui.

— Vous aviez raison, on en a la preuve.

— Pour sûr que j'avais raison ! s'exclama Violette.

— Comment étiez-vous au courant ? lui demanda-t-il.

— Euh...

Ils s'arrêtèrent de marcher un instant. Félix et Léo attendaient la réponse de la grand-mère de Julien avec impatience tandis qu'elle réfléchissait.

— M'en souviens pas, déclara-t-elle enfin.

— Avez-vous déjà entendu parler de Rolande et d'Adelyne Thomasson, qui ont vécu à Val d'Illex du temps où ce village s'appelait La Grotte du Loup ? voulut savoir Léo.

Elle le fixa, stupéfaite.

— Non, ces noms ne m'disent rien du tout, mon p'tit !

Le cortège reprit sa marche tranquille.

— Et est-ce que vous connaissez l'affaire Desmeules, Violette ? s'enquit Félix.

— Certain !

— Qu'est-ce que c'est exactement ?

— C'est une légende. On raconte qu'à la fin du Moyen-Âge, dans une des vallées d'Monts d'Baumes, une femme est morte pour avoir dénoncé le procès horrib' qui a fait brûler sa sœur, accusée d'être une sorcière. Selon cette légende, cette femme, qui était instruite, a écrit son histoire avant de mourir et l'a cachée quelque part. C'est ça, l'affaire Desmeules.

N'en croyant pas leurs oreilles, Félix et Léo s'arrêtèrent de nouveau au beau milieu de la route. Ils se regardèrent et comprirent qu'ils pensaient à la même chose. Cette histoire était peut-être liée aux procès du juge Gondrin ! Ils devaient en apprendre davantage sur les sœurs dont la grand-mère de Julien venait de leur parler.

— Elles s'appelaient les sœurs Desmeules ? lui demanda Félix.

— Bah... qui l'sait ? Y en a qui pensent que Desmeules, ça n'a rien à voir avec leur nom.

— Ce nom viendrait d'où, alors ? s'étonna Léo.

— Y en a qui racontent qu'y a fallu broyer l'une des sœurs dans une meule tant elle ne voulait pas passer aux aveux. Ses os sont devenus comme d'la poudre à canon, mais elle était encore vivante... Le supplice des meules, mes p'tits, c'était qu'q'chose ! Les gens, y z'étaient placés entre deux meules superposées et, à l'aide d'un tourni-quett', on rapprochait les pierres pour écraser leur corps.

Paraît qu'on aurait fait ça à l'une des sœurs... Mais elle était assez vivante après pour qu'on la torture encore et pour qu'on la coule dans un étang glacé, l'cou attaché à une pierre. Comment elles s'appelaient, on n'en sait rien. L'village a ensuite été décimé par la peste. Les sorcières, z'avaient pas d'sépulture chrétienne, vous savez. On voulait les rayer du souvenir. Leur décès, y était jamais inscrit sur le registre paroissial. Pour que tout l'monde oublie leur existence. C'est une légende, mes p'tits, faut pas m're-garder comme si z'étiez poursuivis par des chiens verts !

Sur ce, Violette alla ramasser d'autres fleurs qui poussaient sur l'herbe au bord de la route. Poindeur l'accompagna avec entrain.

Toujours immobiles, Félix et Léo les suivirent du regard. Ils ne connaissaient pas l'expression « être poursuivi par des chiens verts » mais, si elle signifiait qu'ils étaient effarés, elle était bien choisie ! Les révélations de la grand-mère de Julien les avaient littéralement tétanisés.

— Les sœurs Desmeules, Adelyne et Rolande Thomasson, la torture, le supplice des meules, un procès pour sorcellerie, le bain des sorciers, le bûcher... marmonna Léo, qui semblait dresser la liste des similitudes entre les événements évoqués par la grand-mère de Julien et les procès des Thomasson.

— On dirait que l'histoire et la légende commencent à se mélanger, ajouta Félix à voix basse. J'ai l'impression que Violette vient de nous transmettre de nouvelles pièces pour notre casse-tête, Léo.

— Tout un casse-tête ! Je n'y comprends plus ri...

Le jappement de Poindeur interrompit Léo et la conversation des garçons, annonçant la camionnette des Morel, qui se profilait à l'horizon.

14 . . . . LE MARTEAU DES SORCIÈRES

De retour à la maison, Violette n'apprécia pas les remontrances de Thierry et partit bouder dans sa chambre. Après un souper rapide, chacun vaqua à ses occupations. Félix et Léo s'installèrent avec Julien et Poindeur dans le salon, espérant que Justine libérerait l'ordinateur familial situé dans la pièce voisine. Ils profitèrent de l'occasion pour transmettre à Julien les explications précieuses que Violette leur avait données à propos de l'affaire Desmeules. Une femme de la vallée des Baumes avait subi un terrible procès à la fin du Moyen-Âge, parce qu'elle avait défendu sa sœur, accusée d'être une sorcière et livrée au bûcher.

— Il y a beaucoup trop de similitudes entre le destin des femmes Thomasson et celui de ces deux sœurs pour que ce ne soit qu'une coïncidence, déclara Félix, catégorique.

— Je suis d'accord avec toi, lança Léo.

— Il y a eu environ huit cents procès de sorcellerie en Franche-Comté, poursuivit Félix. Vous imaginez les probabilités qu'une histoire pareille se répète dans cette vallée minuscule ?

— Ouais, fit Julien. Tu as raison, ça paraît impossible... Il y a forcément un lien entre ces deux affaires. Je vous signale que l'ordinateur est maintenant disponible !

Sans attendre, Félix alla s'asseoir devant le poste et vérifia la messagerie de leur site ENIGMAE. Personne ne leur avait écrit à l'exception de leur grand-mère Diane, qui leur envoyait une flopée de bisous en leur souhaitant une bonne poursuite de leur voyage en France. Félix lui répondit brièvement, puis Léo prit les commandes pour chercher des renseignements dans Internet à propos de l'énigmatique manuel des chasseurs de sorcières qui avait guidé les actes de Barbe Gondrin lors des procès des Thomasson.

— Le *Malleus Maleficarum* ! s'exclama-t-il après avoir trouvé ce qu'il espérait.

Félix et Julien vinrent s'agglutiner devant l'écran pour lire avec lui les quatre paragraphes en question.

Le Malleus Maleficarum, *du latin signifiant le marteau des sorcières, a été publié pour la première fois en 1486 à Strasbourg. Des dizaines d'éditions ont suivi cette première publication, jusqu'en 1669. Manuel servant aux juges, cet ouvrage devint l'autorité dans le domaine de la chasse aux sorcières, et quiconque était d'un autre avis n'était pas écouté.*

Les auteurs de ce traité sont les inquisiteurs Henri Institoris et Jacques Sprenger. Ils y expliquent comment procéder à la capture de la sorcière, instruire les procès, organiser la détention, pratiquer la torture et pousser à bout l'accusée, jusqu'au bûcher. Interrogée et torturée sans relâche, la sorcière se referme sur elle-même dans une sorte d'autisme, qui devient la preuve même de sa possession diabolique. Seul le feu peut l'en délivrer.

Tout en déclarant qu'on ne peut pas toujours faire confiance aux accusations des témoins, parfois motivés par la jalousie ou la vengeance, les auteurs du Malleus Maleficarum affirment que les indiscrétions et la rumeur publique sont suffisantes pour conduire une personne devant les tribunaux, et que la défense trop vive de l'avocat d'une sorcière prouve que celui-ci est ensorcelé.

La publication de ce livre marque un important changement pour l'Église : cette dernière ne pourchasse plus les sorcières parce qu'elle juge leurs pratiques sans fondement, mais parce qu'elle les perçoit comme le Diable en personne ou des possédées du démon.

— Est-ce qu'Adelyne et Rolande Thomasson étaient des sorcières, d'après vous ? demanda Léo une fois sa lecture terminée.

Félix et Julien le dévisagèrent, bouche bée. Léo prit conscience de leur mauvaise interprétation de sa question.

— Non, je ne veux pas dire qu'elles étaient possédées du démon. Mais... est-ce qu'elles faisaient vraiment des trucs mystérieux, comme pratiquer les sciences interdites ou des tours de magie, fabriquer des médicaments ou des poisons avec des herbes, participer à des rassemblements nocturnes dans la forêt?

— On ne pourra jamais le savoir, répondit Félix, rassuré.

— Et si on se trompait? Si les femmes Thomasson étaient réellement coupables d'avoir tué leurs parents, copulé avec des animaux, dressé des cochons pour leur apprendre à détruire, par exemple? Ce serait possible. Il n'y a rien de magique là-dedans.

— Ça ne ferait pas d'elles des sorcières. Si cela avait été le cas, elles auraient dû subir un vrai procès devant un vrai tribunal ou aller à un hôpital pour les fous. Où veux-tu en venir, Léo?

— Nulle part. J'ai simplement du mal à départager le vrai et le faux dans cette affaire horrible.

— À mon avis, rétorqua Julien, les procès se sont déroulés comme Barbe Gondrin les a décrits. C'est notre seule certitude.

— C'est aussi ce que je pense, renchérit Félix. L'autre certitude, c'est l'existence du *Malleus Maleficarum*. Ce traité est complètement débile! Vous avez lu: *la défense trop vive de l'avocat d'une sorcière prouve que celui-ci est ensorcelé*? Comment les accusées pouvaient-elles s'en sortir face à un juge qui appliquait à la lettre ce qui était recommandé dans ce manuel ?

Léo allait parler lorsque Félix se redressa brusquement, quittant l'écran de l'ordinateur pour arpenter le bureau de long en large. Il semblait tout à coup préoccupé.

— On a oublié un élément crucial, Léo! Tu te souviens de ce que Violette nous a raconté? Elle nous a dit qu'une des sœurs Desmeules, enfin de l'affaire Desmeules, était instruite, qu'elle avait écrit son histoire et qu'elle l'avait cachée quelque part.

— Oui, je m'en souviens.

— Qui savait lire et écrire au XVIe siècle, dans un village de montagne comme La Grotte du Loup?

— Pas grand monde, confirma Julien. Mémé était l'une des seules filles scolarisées de Moranges à son époque et elle ne date pas du Moyen-Âge! Il n'y avait pas beaucoup d'écoles dans la région. Mémé était obligée de faire une heure d'autobus pour aller en classe... C'est pour ça qu'elle râle quand j'ai de mauvaises notes à l'école.

— Je me demande si la phrase de la grange n'indique pas un lieu.

Léo comprit aussitôt l'hypothèse de Félix, qui n'avait pas son pareil pour faire des déductions.

— Bien sûr! s'écria-t-il. Félix, t'es génial!

— Attendez, je ne vous suis pas, protesta Julien.

Léo se leva à son tour et se mit à récapituler les faits.

— Imaginons que l'affaire Desmeules ne soit pas une légende et qu'elle s'inspire du destin des femmes Thomasson, qui étaient en fait des sœurs. Imaginons que cette sœur instruite dont a parlé Violette soit Rolande Thomasson.

— Peu de gens savaient lire et écrire à l'époque, intervint Félix. Si on considère que le message dans la grange est authentique et qu'il a été gravé en 1596, cela signifie que les personnes capables de l'écrire n'étaient pas nombreuses !

— Donc... imaginons que c'est Rolande Thomasson en personne qui a écrit ce message gravé sur la planche de cette grange super-vieille et qu'elle a caché son histoire quelque part, comme le dit Violette ou la légende. Compte tenu de ces éléments, il se peut que la phrase *Que le brusleur soyt baygné et la mémoyre d'Adelyne honorée au poynt des vaches nord-est — 1596* contienne deux messages. Premier message : Rolande souhaite que Barbe Gondrin, cet affreux juge qu'elle hait et appelle le brusleur parce qu'il a fait mourir sa sœur sur le bûcher, connaisse l'épreuve du bain des sorciers, le supplice subi par Adelyne. Après tout, c'est ce qu'il méritait !

— Deuxième message : Rolande Thomasson nous transmet un indice pour qu'on puisse trouver où elle a caché son histoire, ses mémoires, poursuivit Félix, le sourire fendu jusqu'aux oreilles. *Que la mémoyre d'Adelyne soit honorée au poynt des vaches nord est* renfermerait une piste pour découvrir une cachette !

— Super, murmura Léo en apercevant soudain Justine dans l'encadrement de la porte.

Elle était méconnaissable. Vêtue d'un long peignoir blanc, les cheveux roux mouillés par le bain et plaqués contre son visage, qui ne montrait plus aucune trace de maquillage, Justine Morel était une fille splendide. Félix et Léo échangèrent un regard gêné.

— *Le poynt des vaches*, marmonna Julien, plongé dans ses réflexions. C'est trop bizarre! Qu'est-ce que ça signifie?

— Alors, les gars, vous parlez comme des bouseux, maintenant? se moqua Justine. Le point des vaches... vous me faites marrer avec vos trucs de paysans, vos sorcières et votre morceau de bois!

— Tu sais ce que ça veut dire, toi, le point des vaches? lui demanda Julien.

— C'est là où elles vont boire, nigaud!

— Comment le sais-tu?

— J'ai travaillé dans la ferme du vieux Duchamp pendant deux ans, je te signale. Ce n'est pas que j'en avais envie mais, quand t'as besoin d'argent et que tes parents n'en donnent qu'à ton petit frère, tu dois te débrouiller toute seule, pas vrai?

Justine roula de gros yeux méchants vers Julien, qui se fâcha.

— Ce n'est pas vrai que maman et papa n'en donnent qu'à moi; t'exagères!

— Je ne comprends toujours pas, intervint Léo.

Exaspérée, Justine poussa un long soupir.

— Oh là là! tes copains ne sont pas plus malins que toi, Juju! Le point d'eau des vaches, c'est leur abreuvoir. Leur auge, quoi! C'est un bac où tu mets de l'eau. Ou un endroit où la pluie s'accumule. Vous me fatiguez la tête avec vos idées stupides.

Sur ce, Justine tourna les talons. Elle ignora la tempête que sa réponse avait déclenchée dans les esprits. Félix et Léo jubilaient comme s'ils venaient de découvrir le sens caché de la plus extraordinaire des énigmes !

15 . . . . LES AUGES

Félix dormit mal cette nuit-là. Il se réveilla plusieurs fois, hanté par le souvenir des archives de Barbe Gondrin et des tortures infligées aux accusées des procès atroces qu'on avait instruits jadis dans la vallée des Baumes. Il se leva avant les autres, trouva du papier et dressa de mémoire un plan des ruines de Val D'Illex. Poindeur, installé au pied du lit de Julien, quitta sa couverture et vint lui tenir compagnie. Intrigué par les menus bruits qu'ils faisaient, Léo se réveilla.

— Qu'est-ce que tu fabriques ? chuchota-t-il.

— J'essaie de me souvenir de Val d'Illex pour repérer la direction nord-est.

Engourdi de sommeil, Léo s'approcha et examina le croquis. Ils restèrent une demi-heure à tenter de l'améliorer, alors que Julien dormait encore.

— Combien de temps reste-t-il avant notre départ ?

— Deux jours, répondit Félix. On prend l'avion après-demain matin.

— Crotte ! Ça passe trop vite... Il n'y a pas de programme spécial, aujourd'hui ?

— Non, pas à ma connaissance.

— Super. On va pouvoir faire ce qu'on veut.

— Je me demande comment on pourrait connaître l'emplacement des anciens abreuvoirs de La Grotte du Loup. Il y a peut-être de vieux documents qui datent de l'époque des Thomasson et qui pourraient nous aider à les localiser.

— On ira à Saint-Lutin, mes loups-garous, fit Julien d'une voix caverneuse. Et ce n'est pas la peine de parler comme si vous aviez subi le supplice de la langue coupée, j'entends tout ce que vous racontez !

***

Après le déjeuner, Sylvie déposa les garçons à Saint-Lutin. Il n'était pas question de marcher les douze kilomètres depuis Moranges, d'autant que la grisaille et la bruine avaient envahi le ciel. Elle laissa son téléphone cellulaire à son fils ; il pourrait ainsi la contacter pour qu'elle revienne les chercher en fin d'après-midi.

Félix et Léo avaient eu le temps de naviguer plus de trente minutes dans Internet en matinée. C'est ainsi qu'ils apprirent que les auges conçues au Moyen-Âge et à la Renaissance ressemblaient le plus souvent à de larges bacs en pierre mal dégrossis. Le *poynt des vaches* pouvait être un bac, un bassin, un étang ou un ruisseau, tel que l'Illex passant à La Grotte du Loup. Mais la probabilité que Rolande

Thomasson ait pu cacher son trésor dans un cours d'eau était faible. Ils avaient beau y penser, un acte de ce genre leur paraissait irréalisable.

Pour répondre à leurs questions, Thierry avait proposé aux jeunes d'aller frapper à la porte de la famille du maire de Saint-Lutin, qui était une de ses connaissances et qui travaillait comme maçon dans la région. Les Gautronet habitaient le village depuis des générations. Lorsqu'ils pénétrèrent dans la cour de la propriété, un gros monsieur vêtu d'un ciré bleu sortait de la maison.

— Salut, Julien !

— Bonjour, monsieur Gautronet.

— Je peux t'aider ? Je n'ai pas beaucoup de temps et il n'y a personne à la maison ; tu aurais dû appeler avant de venir.

— Pardon de vous déranger. Euh... je vous présente mes amis, Félix et Léo. Ils viennent du Québec. On cherche des informations à propos de Val d'Illex.

— Qu'est-ce que vous voulez savoir ?

Le maire avait l'air très pressé, et Julien ne savait trop comment s'y prendre. Félix vint à sa rescousse et engagea la conversation avec monsieur Gautronet.

— D'après vous, est-ce qu'il existe des archives montrant l'emplacement des anciens abreuvoirs pour les vaches ?

— Drôle de question ! Tu parles de quoi ? Des étangs, des bacs en pierre ?

— Des bacs, précisa Félix.

— Non. Pourquoi avez-vous besoin d'archives ?

— Pour savoir exactement où ces abreuvoirs se trouvaient.

— Au poids qu'ils pèsent, on ne les a pas changés de place !

— Vous voulez dire qu'ils sont encore là ?

— Affirmatif, dit monsieur Gautronet.

— Je ne me rappelle pas les avoir vus, s'étonna Julien.

— Mamie Antoinette, de notre village, y a planté des fleurs magnifiques. Vous ne pouvez pas les manquer. À Val d'Illex, il n'y a rien d'autre de vivant.

— Vous parlez des bosquets aux alentours des ruines ? fit Léo, radieux.

— Affirmatif, répéta le maire.

— Il y en a combien ? lui demanda Félix.

— Deux ou trois.

— Ces bacs datent de quand, selon vous ?

— Ben là ! je n'en sais rien. Je les ai toujours connus. La pierre est âgée et rongée par les intempéries. Cela ne m'étonnerait pas qu'on les ait installés dès les premières occupations villageoises de la vallée, au début du Moyen-Âge. Le sol absorbe l'eau, par ici. Si on veut que les bêtes boivent à l'année, il vaut mieux mettre des bacs. Qu'est-ce que vous cherchez exactement ?

— Le trésor de Rolande Thomasson, lui répondit Léo.

— Qui ça ?

— Rolande Thomasson. L'affaire Desmeules.

— Ah, je vois ! lâcha monsieur Gautronet. Vous auriez dû me le dire. Amusez-vous bien avec cette légende de bonne femme !

— Attendez ! cria Léo alors que le maire rejoignait à la hâte sa voiture stationnée dans la cour. Savez-vous si Val d'Illex s'est déjà appelé La Grotte du Loup ?

— Non.

— Et les deux granges en ruine de Val d'Illex, est-ce qu'elles sont anciennes ?

— Elles datent du XIIe siècle, je crois, répondit monsieur Gautronet.

— Merci !

***

Au comble de l'excitation, Félix, Léo et Julien prirent la direction de Val d'Illex. Il leur fallait traverser les champs mouillés pour atteindre le village fantôme, situé à un kilomètre de Saint-Lutin. La bruine couvrait le paysage, perlant sur la robe des vaches montbéliardes que les garçons croisaient sur leur chemin.

Léo repensait à ce que le maire venait de leur apprendre. Les granges dataient du XIIe siècle, ce qui rendait plausible leur hypothèse selon laquelle Rolande Thomasson avait été emprisonnée dans l'une d'elles en 1596.

— Si on découvre le trésor des sœurs Thomasson, dit-il, j'en connais un qui va être surpris. Monsieur Gautronet verra que les légendes de bonne femme ne sont pas toujours des ragots!

— Peut-être qu'on est en plein délire, marmonna Julien.

— À quoi tu penses? lui demanda Félix sans arrêter de marcher.

— On accorde beaucoup d'importance à ces vieux trucs, non? Qui nous dit que ma grand-mère connaît vraiment l'affaire Desmeules? Elle a pu vous raconter n'importe quoi.

— Ben voyons! laissa tomber Félix.

Il avait répondu sans réfléchir. Mais il se sentit soudain mal à l'aise. Ils n'avaient jamais pensé mettre en doute la version de Violette. Et pourtant, comme le remarquait Julien avec justesse, elle avait pu les lancer sur une fausse piste. Sur ENIGMAE, ils se présentaient comme des enquêteurs et des experts... Ce n'était pas des titres sérieux mais, au fond de lui, Félix espérait aiguiser sa perspicacité et ses talents au fil des énigmes rencontrées et résolues. Ils s'étaient plutôt comportés comme les rois de l'amateurisme en omettant de vérifier la légende de l'affaire Desmeules auprès d'autres anciens de la région!

Ils arrivaient à destination, et ils reconnurent les édifices délabrés du village abandonné. Léo se précipita pour s'assurer que leur découverte n'avait pas été dévoilée ni détruite. Le mystérieux message était en place, à l'abri du feuillage dont ils l'avaient recouvert. Ils pouvaient s'atteler à la tâche de trouver les auges en pierre décorées de fleurs dont le maire leur avait parlé.

Ils en trouvèrent trois : une près d'une tourelle en ruine, et deux autres situées en bordure d'un champ en friche. Elles étaient façonnées selon le même modèle et beaucoup plus petites que Félix ne l'avait imaginé. Ces blocs de pierre d'une longueur d'environ un mètre cinquante sur cinquante centimètres de large avaient été grossièrement creusés. Ils reposaient sur des roches plates et massives, plus étroites, faisant office de pieds. La dame de Saint-Lutin les avait remplis de terre et de fleurs qui scintillaient sous la pluie.

Félix les marqua d'un symbole sur son plan humide et chiffonné, qui rappelait l'un des mouchoirs usés de Violette. Julien l'avait enrichi des points cardinaux grâce à une boussole. Ils examinèrent l'ensemble et jugèrent à l'unanimité que l'auge située le plus au nord-est devait être l'une de celles qui longeaient le champ. Il n'était pas facile de choisir entre les deux, du fait qu'elles étaient alignées et éloignées l'une de l'autre d'un mètre seulement. Léo et Julien tentèrent de les soulever, puis de les déplacer.

— C'est impossible ! s'exclama Julien, à bout de souffle. On ne pourra jamais bouger ces trucs !

— Ces abreuvoirs pèsent une demi-tonne chacun ! renchérit Léo.

— Du temps des Thomasson, il y avait peut-être d'autres *poynts des vaches* de ce type dans les environs, observa Félix en examinant les bacs. Étant donné leur poids, ils se seront probablement écroulés sur place. Si nos recherches ne donnent aucun résultat avec ces trois abreuvoirs, on fera le tour des lieux pour vérifier qu'il n'y en a pas d'autres qui sont en ruine.

— Bonne chance, mon vieux! lui lança Julien. Tout est recouvert d'herbe!

Félix gratta sous le ventre de la partie centrale des deux auges. Un espace d'environ dix centimètres permettait d'y passer la main.

— À mon avis, si quelque chose a été caché ici, c'est sous les bacs, dans la terre.

— Ce sera un vrai chantier si on vient forer, remarqua Léo. Il n'y a pas de place sous les blocs; il faudra creuser de grands trous. On est bêtes, on a complètement oublié d'emporter une pelle!

— Avec la météo, on ne pourra rien faire aujourd'hui, à part transformer le coin en un champ de boue.

— Pourquoi ne se servirait-on pas d'un détecteur de métaux? proposa Julien. Mon père en possède un.

Léo hocha la tête en grimaçant.

— Si Rolande Thomasson a caché son histoire, c'est du papier qu'on devrait trouver, pas du métal.

— On ne sait jamais. De toute façon, si elle a enterré des papiers sans les protéger, je ne veux pas te décevoir, mais tu peux leur dire adieu! Ça fera longtemps qu'ils se seront décomposés dans le sol et que les asticots les auront digérés. En revanche, si elle a enterré son trésor dans une boîte en métal, c'est gagné. Il suffit que ce qu'elle a caché contienne l'équivalent d'une pièce métallique... Le détecteur de mon père est hyper-sensible, ce n'est pas un jouet! Disons qu'on pourrait commencer par ça. On passe le machin sous chacune des auges et, s'il bipe, on creuse.

— Pourquoi pas? intervint Félix. Tu sais t'en servir?

— Euh... non. C'est compliqué. Mon père pourrait nous accompagner.

— Tu crois qu'il acceptera?

— Je n'en sais rien... On devrait rentrer à la maison tout de suite et unir nos forces pour le convaincre. Je suis pas mal sûr que, si on lui raconte en détail les événements de La Grotte du Loup et les procès, il nous aidera.

16 . . . . LES FOUILLES

Les garçons passèrent la soirée à décrire leur projet à Thierry. Félix lui montra leurs archives et commenta les arrêts du juge Gondrin le plus clairement possible. Impressionné, Thierry s'intéressa à leur énigme. Il ne rechignait pas à les aider, bien au contraire. Cela faisait longtemps qu'il ne s'était pas servi de son détecteur de métaux, et l'aventure l'amusait. Mais un obstacle de taille se dressait devant eux.

En vertu des lois françaises, nul ne pouvait «utiliser du matériel permettant la détection d'objets métalliques à l'effet de recherches de monuments et d'objets pouvant intéresser la préhistoire, l'histoire, l'art ou l'archéologie sans avoir obtenu au préalable une autorisation administrative délivrée en fonction de la qualification du demandeur ainsi que de la nature et des modalités de la recherche*». Thierry connaissait l'énoncé de cette loi par cœur.

Sans être un site archéologique, Val d'Illex présentait une valeur patrimoniale et historique indéniable, renforcée

---

* Loi n° 89–900 du 18.12.1989.

par les découvertes que les jeunes venaient d'y faire. Thierry devait donc obtenir une autorisation officielle avant de se lancer dans l'analyse du terrain à l'aide de son matériel. Les procédures n'étaient pas si simples. Félix lui proposa d'en discuter avec son ami Gautronet. Thierry jugea l'idée bonne et décida de passer le voir le lendemain. Si le maire de Saint-Lutin lui donnait son accord, ils iraient ensemble explorer les lieux. S'il refusait, il tâcherait de trouver une autre solution.

***

Le matin suivant, Félix, Léo et Julien prirent des nouvelles de Lucas. La chimiothérapie avait entraîné des effets secondaires moins sévères que d'habitude, mais Lucas était encore fiévreux. Il posa des questions sur leur enquête et sur la mystérieuse inscription trouvée sur la planche de Val d'Illex, précisant que sa tante Marylène en avait pris connaissance et que ce texte n'évoquait rien de particulier pour elle... Julien lui parla des auges et promit de le prévenir si la planche gravée était délogée de son emplacement à des fins d'expertise.

L'horloge allait sonner onze heures. Sylvie finissait de préparer leur pique-nique lorsque Thierry arriva en trombe dans la cuisine où tous étaient rassemblés.

— C'est bon, les garçons ! Gautronet est d'accord et nous autorise à explorer et à creuser sous les auges !

— Génial ! s'écria Léo.

— Qu'est-ce qu'il a dit ? lui demanda Julien, intrigué.

— Qu'on était zinzin !

— J'veux venir, déclara Violette, gagnée par l'exaltation ambiante.

— Allez ! Julien, Félix, Léo, mémé et Poindeur, dans la camionnette ! À l'aventure ! Je n'ai pas toute la journée ! Vous non plus, d'ailleurs !

— N'oubliez pas que nous devons être à quinze heures au collège des Rochers, aux Blondines, ajouta Sylvie avec gravité. C'est la cérémonie du départ. Il y aura des activités préparées par les classes, un goûter et une soirée rassemblant le maire, la directrice de l'école et les personnes ayant participé de près ou de loin à cet échange. Cet événement est important ; je compte sur vous, Julien, Félix et Léo. Je vous attends ici à quatorze heures tapantes, le temps de vous changer et de vous faire beaux. Je n'irai pas vous chercher.

— Ne t'inquiète pas, chérie, fit Thierry. Je les ramènerai à temps.

— C'est parce que je n'ai pas confiance en toi que je le répète aux garçons. Lorsque tu es avec cet engin de détection, il pourrait pleuvoir des grenouilles, tu ne t'en apercevrais pas ! Et n'oublie pas que toi aussi, tu dois être présent à cette cérémonie. Justine restera avec Violette à la maison si elles ne souhaitent pas nous accompagner. Mais toi, tu n'as pas le choix.

— J'ai compris. Allez, on y va. On a trois heures devant nous.

***

Un vent doux soufflait du sud. Les nuages chargés de pluie des derniers jours avaient laissé place au soleil. Thierry gara la camionnette le long de la route du col de la Faux, puis l'équipe entreprit la marche de dix minutes à travers champs qui la séparait du village fantôme de Val d'Illex. Sans perdre de temps, elle s'installa près des auges désignées par les garçons. Thierry sortit son matériel, dont il avait testé le fonctionnement la veille, et procéda à des réglages. Il enfila le casque d'écoute et se posta devant l'un des abreuvoirs avant de diriger le détecteur de métaux, avec lenteur et méthode, sous la pierre. Son engin ressemblait à une perche au bout de laquelle une coupole plate et métallique captait et décryptait des signaux provenant du sous-sol. Le disque rasait la terre et disparaissait entre les herbes. Thierry était concentré sur les messages envoyés par cet équipement électronique de pointe et le pilotait avec doigté. Autour de lui, Félix, Léo, Julien et Violette étaient muets comme des carpes et observaient le moindre de ses mouvements. Fuyant la boue, Poindeur s'était couché sur la bâche en plastique que Thierry avait apportée et déposée à terre près du groupe, avec deux paires de gants de jardinage et deux pelles en fer. Ils avaient oublié le panier du pique-nique dans la camionnette; ses premiers repérages terminés, Thierry retournerait le chercher.

Armé de son engin semblable à une mini-soucoupe volante, le père de Julien procéda à l'exploration pendant dix minutes. Puis, il changea de cible et se plaça devant l'autre bloc sans dire un mot. Félix et Léo échangèrent un regard pessimiste.

Avec délicatesse et patience, Thierry glissa la coupole du détecteur sous le ventre de l'auge et près de ses pattes.

Il s'éloignait parfois du sol en levant la perche, avant de la plaquer de nouveau au ras de l'herbe. Les garçons constatèrent qu'il décrivait, depuis un moment, le même trajet circulaire à proximité des pieds de l'abreuvoir.

— J'entends quelque chose, murmura-t-il.

Devant un public qui retenait son souffle, Thierry s'immobilisa, maintenant la coupole sous l'auge. Il effectua de nouveaux réglages pendant de longues minutes, puis enleva son casque.

— Une petite quantité de métal se trouve à environ quarante centimètres sous terre, ici. Le son est très clair.

Il posa détecteur et casque sur la bâche et s'empara d'une pelle. Aussi excités qu'anxieux, Félix, Léo et Julien l'observaient en tâchant de dissimuler leur impatience. Distraite, Violette caressait les fleurs plantées dans l'autre auge.

À l'aide de la pelle, Thierry souleva une motte d'herbe touffue à l'endroit où le détecteur avait lancé son message plein d'espoir. Puis une motte de terre noire. Puis une autre. Il creusa encore et racla du rebord tranchant de son outil le fond du trou. Un son creux se fit soudain entendre, et il s'arrêta net.

Les jambes tremblantes, Félix, Léo et Julien se penchèrent pour observer l'obstacle qu'il venait de frapper. Il s'agissait d'un morceau de bois dur renforcé de métal, grand comme le coin d'une boîte d'allumettes.

Ils poussèrent d'intenses cris de joie. Leurs nerfs étaient à fleur de peau. Un pas vers la découverte du trésor qui se cachait derrière l'énigme de la grange venait peut-être d'être franchi...

Gardant la tête froide, Thierry lâcha sa pelle et s'accroupit au bord de la petite fosse en ordonnant aux autres de reculer de quelques pas.

Puis, il étudia sa trouvaille du bout de ses doigts nus afin de s'assurer qu'il ne s'agissait pas d'un objet dangereux, d'un explosif ou d'un reliquat militaire datant de la guerre. Il parut tranquillisé et se releva.

— Vous allez gratter délicatement autour de ce truc, déclara-t-il. Je réutiliserai la pelle si c'est nécessaire.

Julien et Léo se mirent aussitôt au travail. Ils enfilèrent les gants de jardinage et s'agenouillèrent près de l'ancien point d'eau des vaches. Durant une vingtaine de minutes, ils enlevèrent du bout des doigts la terre, la glaise, les minuscules racines et les cailloux agglomérés autour de l'objet énigmatique. Celui-ci ressemblait à un boîtier de lunettes géant.

— On dirait un plumier, murmura Thierry.

Léo se releva enfin, le coffret entre les mains. Avec des gestes prudents, il le libéra de sa coque de débris et le passa au père de Julien, qui déposa sa pelle. Dans un silence absolu, tous se rapprochèrent de lui; tellement que chacun pouvait presque entendre les battements de cœur de son voisin...

De forme simple, l'objet était sculpté dans du bois foncé renforcé de métal, ce qui l'avait aidé à résister au passage du temps. Thierry dégagea avec soin la ferrure en forme de petit cheval retenant le couvercle.

Le mystérieux boîtier s'ouvrit.

Il en renfermait un deuxième, joli plumier fait de bois clair piqueté. Thierry le prit entre ses doigts et le passa à Félix, qui poursuivit l'opération. Ému, le garçon leva le crochet de métal avec délicatesse et souleva le long couvercle.

— Waow ! dit-il d'une voix chancelante.

Au creux du plumier se trouvait un épais rouleau de papier semblable à du tissu fin, ainsi que deux petites bagues en or.

Ils demeurèrent figés un moment, contemplant cette découverte extraordinaire sans oser y toucher...

Puis, Félix confia le plumier et le bijou à Thierry, et garda le rouleau, qu'il déplia avec précaution. Il s'agissait de feuillets calligraphiés. Il tâcha de déchiffrer les premiers mots, mais les caractères étaient tarabiscotés, et ses mains tremblaient de nervosité.

— Veux-tu que j'essaie de lire ? proposa Thierry, aussi intimidé que lui.

— D'accord.

Félix lui transmit les feuillets. Julien et Léo s'empressèrent de déplier la bâche en plastique et l'étalèrent sur l'herbe humide. Ils s'assirent tous en silence, Violette aux côtés de Poindeur, qui se réinstalla pour somnoler.

Thierry pouvait enfin commencer sa lecture à voix haute.

17 . . . . **POUR QUE VÉRITÉ SOYT DITE**

Le vingt et unième jour du moys d'août de l'an mil cinq cent nonante-six, fort tard dans la nuit, La Grotte du Loup.

Le temps presse. S'il m'arrive malheur, je doys protéger mes seuls trésors. Je ne sais si je parviendrai à cacher cette lettre et ces mémoyres avant de prendre la fuite. Je prie pour que les flammes de l'enfer ne s'élèvent pas pour moy dans le ciel de cette vallée si chère au son de l'hymne maudit qu'est le Malleus Maleficarum... Malédiction à ceux qui brandissent cet infâme traité au nom de la justice et de la chasse au démon...

Par cette lettre, je veux que vérité soyt dite sur mon histoyre.

Lorsque je suis revenue à La Grotte du Loup après le procès d'Adelyne, à l'été 1595, la rage me dévorait toujours le cœur. La mort de ma pauvre sœur semblait avoyr libéré les villageoys de l'estre qu'ils prétendaient responsable de leurs maux les plus sombres. Ô comble de l'horreur, on me raconta en détail l'instant du bourreau et du châtiment des flammes, oubliant de qui j'étais la parente !

Coupable d'aucun délit ni maléfice, ma chère sœur avait toutefoys péri par le feu. Je devais agir et la venger, mais j'ignorais comment m'y prendre.

Je me languis de longs moys, et la chance se présenta il y a six jours. À l'occasion d'un voyage à Anx, j'allai trouver Guibert Nogeon, l'enlumineur auquel je devais livrer mes plus belles plumes. Le hasard voulut que je reconnusse, posé sur une table d'acajou avec d'autres livres fameux, le sinistre traité dont Aldegonde me parla tant lors du procès d'Adelyne : le manuel du chasseur de sorcières. Profitant de ce que j'étais seule un instant dans la boutique, je m'en emparai. Je m'acquittai de ma charge auprès de mon hôte, qui ne s'aperçut pas du larcin, et quittai la ville aussitôt. J'avais dans mon bagage copie du Malleus Maleficarum !

Je pris le chemin du retour, impatiente de lire le ter-rifiant ouvrage dont je voulais connaître les rouages pour m'opposer aux cruelles injustices qu'il réservait aux femmes.

De ce manuel maudit, le destin voulut que je ne déchif-frasse pas une seule ligne !

De retour au village, je croysai des commerçants et reconnus Huguette Moulin, qui vint vers moy et me harcela, prétendant que mon potager dépassait du jardin et empiétait sur le sien. Le ton monta, et je fus prise de colère face à cette voysine détestée. Dans ma brusquerie, mon bagage tomba à terre. Un lainage ainsi que le manuel volé s'en échappèrent pour atterrir dans une flaque de boue où des pourceaux errants s'abreuvaient. Un des cochons effrayés s'empara du livre pour le mâcher entre ses grosses dents. S'ensuivit une bagarre féroce dans un brouhaha de grognements, les porcs bataillant pour dévorer le papier. J'étais effarée.

Tous les villageoys s'étaient rapprochés pour contempler le spectacle et riaient à gorge déployée, jusqu'à ce que l'un d'eux reconnût le traité, semblable à celui que le brusleur Gondrin avait tenu entre ses mains lors du procès d'Adelyne...

Les moqueries cessèrent aussitôt, laissant place aux insultes. On me traita de profanatrice, de blasphématrice, de mécréante et de sorcière. J'entendis chuchoter le nom du brusleur et pris peur... Je me réfugiai à Saint-Lutin, chez Aldegonde, qui me cacha dans son logis jusqu'à ce soyr, tristes heures où j'ai dû lui faire mes adieux.

Pour ne pas que je fusse reconnue, ma précieuse amie me déguisa en vieille marchande de broderies afin que je me risque jusqu'ici, si chère maison, pour réunir mes affaires avant de fuir le village en direction de Lyon. Je ne puis rester à La Grotte du Loup. Les nouvelles de mon larcin et de la destruction du Malleus se sont vite répandues dans la montagne. J'ignore quelle méchanceté on a pu inventer pour décrire l'incident fâcheux des cochons. Des bruits courent selon lesquels des officiers enquestent sur mon compte. Je suis terrifiée.

Si Dieu me preste vie, je reviendrai bientôt déterrer ces trésors. Ces deux bagues en or, offertes par notre mère lorsque nous étions des enfants, appartiennent à Adelyne et à moy. Elles sont gravées de nos initiales et symbolisent notre union éternelle. Elles sont ma plus grande richesse, que je confie à la terre de ce village.

Toy, lecteur secret, trouve avec cette lettre le récit fidèle que je fis de la vie et du procès d'Adelyne, le lendemain de son exécution. Lis ces feuillets que je porte sur moy depuis cette nuit tragique. Ils sont les témoygnages de mon amour pour elle et de ma révolte inassouvie envers ceux qui brisent le corps et l'âme des femmes en leur ouvrant les portes de l'enfer sur terre, au nom de la chasse au démon. Puisses-tu ne pas estre l'un des leurs ou crève.

ROLANDE THOMASSON

18. . . . . LE PROCÈS

En ce dix-neuvième jour du moys de juin de l'an mil cinq cent nonante-cinq, ma bien-aimée sœur Adelyne n'est plus. Sa chevelure rousse ne scintillera plus au soleil, ses longs bras blancs ne se balanceront plus au gré des travaux des champs, son rire clair ne résonnera plus sur la place du village. Elle a péri hier soyr sous le coup de la haine, de la peur et des médisances, sur le bûcher du brusleur Gondrin, l'odieux juge. Voyci son histoyre. Par amour pour Adelyne. Pour la vérité. Pour son souvenir, qu'il nous faut chérir.

Tout commença au dernier moys de janvier, alors qu'Adelyne mit au monde, pauvre sœur, un enfant mort-né. La Grotte du Loup vit dans cet événement l'annonce d'un châtiment divin. Son époux, Gaspard, y perçut l'œuvre de Satan et la jeta hors de leur maison. J'étais en voyage à Dole et n'eus pas connaissance des tracas terribles qu'elle connaissait. Adelyne dut quitter les lieux et se refugia dans une cabane de Saint-Lutin. Elle fit pousser légumes et herbes savantes, et se lia d'amitié avec Aldegonde, une guérisseuse gentille, joviale et respectée, que de mauvaises langues prétendaient experte en maléfices.

Lorsque je revins de Dole, je trouvai ma sœur en de bien mauvaises dispositions. Maygre et triste, marmonnant d'indescriptibles litanies, elle ressemblait à une vieille femme. Je décidai de la ramener dans ma maison de La Grotte du Loup afin qu'ensemble nous pussions vivre, comptant sur les talents du temps qui passe pour la protéger de la calomnie. J'avais toujours eu bonne réputation au village et ma position en tant qu'artisan des plumes me portait dans le cœur des habitants. Du moyns le croyais-je alors.

Adelyne travaillait à mes côtés, dans mon atelier de confection des plumes d'oye servant à l'écriture. Il fallait les choysir, les nettoyer, les préparer et les tailler avec art. Je la vis recouvrer la santé et sourire de nouveau. Nous ne recevions guère de visite. Mais la haine des villageoys semblait s'estre changée en indifférence et nous ne nous souciions que de notre ouvrage.

Que n'ai-je vu les fils de la malveillance tisser leur toile cruelle autour de nos vies ! Qu'ai-je été si naïve ! Aujourd'hui, nous serions toutes deux à tresser des couronnes de fleurs dans la lumière de l'été...

Il y a dix-huit jours de cela, Adelyne souriait plus que d'habitude. Nous avions préparé une potée dans le rire et la bonne humeur. Avant que nous nous missions à table, notre chat blanc s'enfuit par la porte laissée entr'ouverte. Venant de verser du lait dans sa gamelle, Adelyne voulut le rattraper et sortit en courant à sa suite. C'est alors que l'orage frappa de ses éclairs. Le tonnerre rugit dans le ciel devenu noyr, et une pluie de grêlons gros comme des crottes de chèvre s'abattit sur la vallée. Adelyne revint vite sur ses pas, effrayée et trempée de la coyffe aux sabots.

La tempeste dura la nuit entière, et les récoltes furent toutes dévastées.

Le lendemain, on rassembla les villageoys sur la place. Ma voysine, Huguette Moulin, accusa Adelyne d'avoyr déclenché la tourmente. Elle l'avait aperçue courir sur le chemin en riant sans raison, juste avant que l'orage ne gronde. Elle l'avait vu suivre les pas d'un chat, séduisant la créature maléfique au lieu de s'abriter de la foudre... Cela prouvait, hors de tout doute, qu'elle ne craygnait ni Dieu ni le Diable !

Une femme affirma qu'Adelyne n'avait pas été mouillée par la pluie tombant à verse des nuages et que son corps était sec telle la coquille d'une noyx lorsqu'elle était rentrée dans notre maison. Un homme raconta comment les yeux verts d'Adelyne avaient un jour enflammé son champ, un autre certifia qu'il ne l'avait jamais vue pleurer, signe des sorcières. Une fillette déclara qu'elle souffrait d'une étrange maladie depuis le retour de ma sœur à La Grotte du Loup. On reprocha à Adelyne son enfant mort-né, ses relations avec Aldegonde et ses connaissances d'herboriste. On l'accusa de tous les maux, la dénonçant avec une ferveur religieuse. Trop de calamités frappaient la communauté. Elles ne pouvaient qu'estre l'œuvre d'Adelyne et de son maître, Satan !

Je me révoltai, hors de moy, preste à me battre avec les mots contre ces calomniateurs. Mais les rancœurs s'étaient accumulées depuis fort longtemps. Adelyne et moy le comprîmes, hélas ! bien tard...

Les haines et les jalousies se déchaînèrent. On évoqua la naissance d'Adelyne survenue la nuit durant laquelle la meilleure génisse de la Grotte du Loup avait rendu l'âme, puis le mystère de la cruelle mort de nos parents dans l'incendie d'une bergerie, que certains prétendaient inexpliqué.

On critiqua mon métier, déclarant qu'il me faisait manier les mots, ensorceler les plumes et les esprits. Pauvres villageoys... La plupart ne connaissent que le Pater, l'Ave Maria, le Credo et le Benedicite enseignés par le curé de la paroysse.

À l'âge de douze ans, j'avais eu la chance de partir travailler chez le scribe du château, qui m'avait appris à lire, à écrire et à confectionner les plumes. Sans cette fortune, ma condition de fille ne m'aurait guère menée plus loyn qu'au travail de la terre, à la couture, aux métiers de bouche ou de servante !

Une fermière déclara que cette instruction entre les murs du château était un privilège douteux qui avait déshonoré le village et qui montrait qu'à l'instar de ma sœur je n'avais jamais été comme les autres ! Misérable haine...

La frénésie s'empara de la foule et je ne pus l'empêcher de nous bousculer. Une femme proposa d'appeler le juge Gondrin, et ma sœur et moy nous enfuîmes, trouvant refuge chez la gentille Aldegonde.

Les dénonciations et la rumeur publique firent leur chemin jusqu'à Barbe Gondrin, célèbre dans la région des Monts des Baumes pour reconnaître les coupables de sorcellerie et instruire d'affreux procès qui engendraient peu d'innocents...

Il envoya au village un procureur et des officiers pour mener enqueste sur Adelyne. On apprit par Aldegonde qu'ils avaient fouillé notre maison et reçu en secret les dépositions de nombreux témoyns pour faire l'inventaire des charges pesant contre ma sœur.

Et puis, le dixième jour de ce moys, sur la place du marché de Saint-Lutin, alors qu'elle y vendait des herbes médicinales, Adelyne fut brutalement agrippée par les officiers du juge, enchaînée et emprisonnée dans l'ancienne étable de Hugon, fermier à La Grotte du Loup.

Je ne l'ai plus jamais serrée dans mes bras. Je n'ai plus jamais croysé son regard ni senti le souffle chaud de son haleine. Les larmes coulent le long de mes joues et mon sang se glace en écrivant ces lignes.

Le brusleur en personne se déplaça pour instruire le procès et mener l'interrogatoyre. J'étais atterrée et ne savais que faire. Aldegonde se déguisa en homme pour se mêler discrètement à l'assemblée extraordinaire et m'en raconter l'odieux déroulement.

En présence des villageoys, de son commis scribe, du procureur Carteret et des six officiers chargés de garder l'étable où se tenait ma douce Adelyne, leur prisonnière, le magistrat dans sa robe écarlate présenta sa mission ainsi qu'un ouvrage, le Malleus Maleficarum. L'infâme dit s'inspirer de ses recommandations éclairées pour faire son devoyr de juge, de défenseur de la foy et de chasseur de sorcières.

L'inquisiteur interrogea Adelyne. Attaché au texte de son traité comme un sale loup à sa queue, il voulut lui faire avouer sa participation au sabbat. Ce menteur dit que des témoyns l'avaient vue errer nue dans la forest, et d'autres, remplacer l'hostie de l'office par des rondelles de navet et lancer des maléfices à ceux qui croysaient son regard. Il affirma que les preuves ne manquaient pas pour démontrer qu'Adelyne possédait des pouvoyrs surnaturels, dont celui de se transformer en créature de la nature et de se déplacer d'un lieu à un autre sans toucher terre. Dans la halle du marché, des objets avaient été retournés sans qu'on y touchât. On accusait Adelyne ! Des témoyns, exécrables médisants, lui reprochaient des tours de magie et des sortilèges !

Adelyne refusa de répondre aux questions, réfutant chaque accusation en pleurant. Gondrin la fit raser complètement. On la piqua avec de terrifiantes ayguilles. La pauvre poussa des hurlements à chaque piqûre. Les officiers sales et abjects inspectèrent son corps nu avec indécence pour y chercher en vain la marque du Diable. Ne pouvant convoquer le sombre bourreau et ses instruments, l'infâme brusleur fit attacher Adelyne sur une chaise pendant deux interminables jours. Misérable haine...

J'étais recluse à Saint-Lutin. Voyant ma révolte et mon désir de violence, Aldegonde me persuada d'attendre. Selon elle, il était impossible de défendre l'accusée sans estre soupçonné d'appartenir à la secte satanique. Il ne pouvait y avoyr d'avocat du Diable, d'autant moyns si cet avocat était la sœur de l'accusée... Je devais prier pour qu'un miracle se produisît et sauvât Adelyne de la mort. Ce que je fis de tout mon cœur et de toute mon âme.

À la suite de son interrogatoyre et de son douloureux emprisonnement, ma douce Adelyne trouva la force de répéter qu'elle était innocente des crimes dont on l'accusait. C'est alors que le brusleur décida de la baygner et de lui faire subir l'infâme bain des sorciers.

Terrorisée, ma sœur vit ses pieds et poyngs liés par de la corde solide, son cou fixé à une lourde pierre, puis on la jeta avec la roche au plus profond de l'Illex. Aldegonde la vit se débattre et surnager, usant de toutes ses forces pour survivre à la noyade. Elle ne coula pas à pic, cherchant son souffle à la surface de l'eau glacée. Preuve était faite de sa culpabilité...

Possédant sa sorcière, le brusleur ordonna la peine de mort et fit préparer l'ignoble bûcher.

Hier soir, les branches s'accumulèrent sous le gibet où ils avaient attaché ma pauvre Adelyne. Je voulus me rendre auprès d'elle, mais Aldegonde m'en empêcha, m'enfermant cinq heures dans sa cave humide et noyre. Ma vie était en grand danger, ne cessait-elle de me répéter.

Soumise au châtiment funeste du bourreau, qui l'étrangla, Adelyne se débattit le temps d'un vol d'hirondelle, puis la fumée dessina de larges volutes autour de ses pieds nus jusqu'au ciel de la nuit.

À ma chère sœur, cet ange que la terre ne méritait pas. Je t'aime pour l'éternité. Pour la vérité. Pour ton souvenir, qu'il nous faut chérir.

ROLANDE THOMASSON

19 . . . . LA RÉUNION

Thierry venait de déchiffrer les deux manuscrits de Rolande Thomasson, datés des années 1595 et 1596. Les yeux humides, il poussa un profond soupir. Il ressentait la même tristesse que celle qui se lisait sur le visage des garçons. Ce récit l'avait bouleversé.

— Voilà, c'est tout.

— On n'a pas mangé not' sandouiche !

La voix nasillarde de Violette les fit sursauter, mais personne ne se soucia d'elle. Félix, Léo et Julien étaient encore imprégnés de l'univers glacial de La Grotte du Loup, décrit par cette femme qui ignorait encore qu'elle périrait sous la torture.

Ces lettres émouvantes révélaient au grand jour ce que les arrêts du juge du tribunal d'Anx, techniques et froids, leur avaient si habilement dissimulé : la réalité vécue par les deux sœurs Thomasson et leur sensibilité aux épreuves terrifiantes qu'on leur avait fait traverser.

De la vie des femmes accusées du crime de sorcellerie ou de perversion hérétique, on ne connaissait bien souvent que l'issue des procès qui leur étaient intentés. D'aucunes avaient été livrées au bûcher, comme Adelyne. D'autres étaient mortes des suites de leurs tortures, comme sa sœur Rolande. Certaines avaient été bannies ou libérées après avoir été jugées et emprisonnées, ou massacrées avant d'être traduites en justice... Or, non seulement Félix, Léo et leurs amis avaient mis au jour le déroulement des procès des sœurs Thomasson en sortant les arrêts du tribunal des archives poussiéreuses, mais ils avaient aussi reconstitué le fil des événements qui les avaient menées sur le chemin de l'infâme brusleur.

Ce que les femmes Thomasson avaient vécu à La Grotte du Loup était bien plus effrayant que toutes les extravagances qu'on prêtait aux sciences interdites et aux sorcières ! Les accusations dont elles avaient fait l'objet témoignaient des ravages de la médisance, qui transformait les malheurs de ces femmes en autant de soi-disant péchés et perversions. Le mystère des sciences interdites, qui provoquait la peur au gré des croyances, n'était rien comparé à celui de la rumeur publique, capable des inventions et des crimes les plus cruels...

Assis sur la bâche étendue au milieu des prés, près de l'auge, en compagnie de Thierry, de Félix, de Julien, de Violette et de Poindeur, Léo tenta de reconstituer la chronologie des faits.

— Replaçons les différents événements dans le bon ordre... Adelyne Thomasson connaît une série de malheurs dans son village de La Grotte du Loup. Elle perd ses parents dans un incendie, accouche d'un enfant anormal, est renvoyée de chez elle par son mari, etc. Bref, à vingt-cinq ans, les villageois l'accusent d'être une sorcière. Elle est étranglée puis brûlée sur le bûcher le soir du 18 juin 1595, après un procès instruit par le juge Barbe Gondrin, dit le brusleur. Le lendemain de son exécution, sa sœur Rolande écrit une lettre pour exprimer sa tristesse et sa révolte, et raconter la vraie vie d'Adelyne.

— C'est un des textes qu'on vient de trouver dans le trou, sous l'auge, précisa Félix.

— Super... Un an plus tard, Rolande a toujours la rage au cœur. Elle vole un exemplaire du *Malleus Maleficarum*, le manuel des chasseurs de sorcières dont Gondrin s'est servi au cours du procès contre sa sœur.

— Elle souhaite le lire, ajouta Thierry. Pour dénoncer la violence faite aux femmes.

— Sauf que, poursuivit Léo, sur le chemin du retour, au cours d'une dispute, le *Malleus Maleficarum* que Rolande a volé tombe à terre et se fait dévorer par des cochons ! On croit sans doute qu'elle l'a fait tomber exprès pour qu'il soit détruit...

— C'est pire que ça ! dit Félix. Souviens-toi, dans le jugement de Gondrin, on accuse Rolande de *profanation et destruction d'un livre sacré et de dressage de cochons dans le but de nuire* ! Ça signifie que les gens présents ont peut-être raconté au juge que Rolande avait jeté un sort aux cochons, un maléfice ou un truc du genre, pour les inciter à manger le livre !

— Tu as raison, j'avais oublié ce passage sur le contrôle des cochons...

— Trop bizarre ! fit Julien. Les gens croyaient vraiment n'importe quoi.

— Rappelez-vous l'histoire d'Amandin ! ajouta Félix. Au XIVe siècle, à Château-les-Lacs, on intentait un procès à un âne et on le torturait s'il mordait un enfant. On s'imaginait sans doute qu'il l'avait fait exprès et qu'il réfléchissait comme un humain ! Deux siècles plus tard, à La Grotte du Loup, on croyait aux mauvais sorts, à la magie, aux champs s'enflammant à cause de la couleur des yeux d'une femme, aux loups-garous, etc., et on chassait les sorcières ! Alors, si vous voulez mon avis, lorsqu'ils ont vu le *Malleus Maleficarum* de la sœur d'une sorcière tomber dans la gadoue et se faire manger par les porcs, les villageois n'ont pas cru à une coïncidence !

— C'est certain que, avec des croyances pareilles, le hasard ne devait pas jouer un grand rôle dans l'explication des événements survenant au village, dit Thierry.

— Rolande l'écrit dans sa lettre, précisa Félix.

Il chercha le feuillet en question.

— *Un des cochons effrayés s'empara du livre pour le mâcher entre ses grosses dents*, relut-il. Ensuite, elle raconte que les villageois ont rigolé. *Jusqu'à ce que l'un d'eux reconnût le traité, semblable à celui que le brusleur Gondrin avait tenu entre ses mains lors du procès d'Adelyne*. Elle a été insultée, puis traitée de *profanatrice, de blasphématrice et de mécréante*. Les villageois présents ont sans doute pensé qu'elle avait ordonné aux cochons de bouffer le livre pour se venger du juge Gondrin et des juges qui avait envoyé sa sœur sur le bûcher.

— Et ils l'ont accusée de sorcellerie, conclut Léo. Parce qu'il n'y a qu'une sorcière qui soit capable de donner des ordres à un cochon.

— Exactement.

Léo regarda son frère d'un air complice. Il poussa un long soupir avant de poursuivre son récapitulatif.

— Bon, dit-il. Après cet incident, Rolande se cache donc chez son amie Aldegonde, qui habite dans le village voisin de Saint-Lutin. Elle y reste plusieurs jours, se déguise en vieille marchande de broderies, retourne chez elle pour chercher ses affaires avant de fuir pour Lyon, car elle sent que sa vie est en danger.

— Avant de fuir, elle écrit une lettre, qu'elle enterre avec l'autre texte sous une auge du village, intervint Julien.

— Cette lettre, datée du 21 août 1596, est la deuxième trouvée dans le plumier, précisa Léo. Donc, Rolande enfouit son trésor et prend la fuite dans la nuit du 21 au 22. Mais un paysan l'aperçoit dans la vallée, la reconnaît malgré son déguisement et la dénonce. Elle est arrêtée au petit matin du 22 et emprisonnée dans la grange de Mallouard. Le brusleur a mené une enquête sur elle, et le procès se déroule de la même façon que pour Adelyne. C'est horrible... Rolande est torturée...

— Elle meurt des suites des tortures, glissa Félix.

— Oui, elle meurt le 28 août 1596, poursuivit Léo. Mais, sur le mur de la grange dont elle est prisonnière, Rolande a eu le temps de graver un mystérieux message : *Que le brusleur soyt baygné et la mémoyre d'Adelyne honorée au poynt des vaches nord est — 1596.*

— Elle sait qu'elle ne pourra jamais déterrer ses trésors et souhaite que quelqu'un, un jour, découvre la vérité, ajouta Félix, ému.

— Et c'est nous qui l'avons fait! s'exclama Julien, triomphant. Nous avons découvert la vérité sur les sœurs Thomasson!

— Cette histoire est complètement débile...

Thierry Morel se leva. Anxieux, il jeta un œil à sa montre.

— Il faudrait rentrer... Je vais reboucher le trou en vitesse, mais avant, j'aimerais voir ce message dans la grange. Pouvez-vous me le montrer?

— Et les bagu'? s'écria Violette.

Les garçons échangèrent un regard étonné. Ils les avaient oubliées!

— Tu as raison, mémé! fit Thierry. Il y a les bagues aussi!

Ils se levèrent tous. Puis le père de Julien ramassa les objets déposés sur la bâche, près des pelles. Il rouvrit le plumier en bois clair et prit les deux anneaux entre ses gros doigts. D'un diamètre réduit, ils ressemblaient à des bijoux d'enfant. Ils étaient en or, un peu tordus, gravés chacun d'une lettre, «A» et «R».

— Sont cassées mais mignonn'...

Violette s'était rapprochée pour observer les bijoux. Ses grosses lunettes frôlaient la paume de Thierry. Contrairement à ce qu'elle prétendait, les bagues n'étaient pas cassées, mais biscornues, comme si un poids ou une pince les avait déformées.

— «R» et «A», comme Rolande et Adelyne! déclara Léo, rayonnant.

Devant tous, Félix prit les deux anneaux entre ses doigts fins et les plaça côte à côte. Les deux bagues s'encastraient parfaitement! Elles n'étaient pas tordues ni brisées, mais formaient une unité, un magnifique bijou ancien aux initiales des deux sœurs!

Félix et Léo restèrent bouche bée, ahuris devant leur nouvelle découverte. Thierry s'empara des feuillets de Rolande qu'il venait de lire et les redéplia avec soin. Il survola le texte et repéra enfin l'extrait recherché.

— *Ces deux bagues en or, offertes par notre mère lorsque nous étions des enfants, nous appartiennent, à Adelyne et à moi. Elles sont gravées de nos initiales et symbolisent notre union éternelle. Elles sont ma plus grande richesse, que je confie à la terre de ce village.* Cet anneau double scellait le lien qui les unissait. C'est émouvant...

— Avec tout' ces chos' qu'vous avez trouvées, les z'enfants, on peut dire qu'vous avez enfin réuni les deux sœurs! C'est formidab'!

Violette semblait ravie. Félix et Léo lui adressèrent un sourire affectueux. Cette vieille dame était bien attachante.

— Trop bizarre! murmura Julien. Et l'affaire Desmeules?

— Ce serait une légende inspirée de la vie des sœurs Thomasson et déformée par la rumeur, déduisit Félix, tandis que Thierry commençait à reboucher le trou creusé sous l'abreuvoir.

— Papa ? On va voir le message dans la grange ?

— On n'a plus le temps, Juju. On reviendra demain. Je répare les dégâts sur le terrain et on se sauve. On avalera nos casse-croûte sur le chemin du retour !

Léo dévisagea Félix d'un air mélancolique. Eux ne pourraient pas revenir, ils le savaient. Leur avion quittait la France le matin suivant. C'était la dernière fois qu'ils voyaient La Grotte du Loup. Ils auraient tant souhaité demeurer plusieurs heures encore, plongés au cœur du souvenir des sœurs Thomasson et des événements atroces qui s'étaient produits, plus de quatre cents ans auparavant, dans ce village dont il ne subsistait que des ruines !

Un jappement de Poindeur interrompit leurs pensées. L'équipe était prête à partir. Finissant de ranger son matériel, Thierry glissa leurs trésors dans la poche de sa veste de sport et tendit les pelles à Julien, qui les porterait jusqu'au véhicule. Il mit son sac d'équipement en bandoulière et prit Violette par le bras pour l'aider à marcher.

— On file, les garçons ! On est en retard, Maman va me crucifier. Vous êtes prêts pour cet après-midi, Félix et Léo ? J'ai hâte d'entendre le petit texte que vous avez préparé !

Léo se retourna vers son frère, aussi surpris que lui.

— Quel petit texte ? demanda-t-il au père de Julien.

— Vos professeurs ne vous ont pas donné un devoir obligatoire ?

— Ben non...

— Vous ne deviez pas rédiger une dissertation sur votre voyage, sur votre séjour chez nous, à lire à la cérémonie de départ, tout à l'heure ?

— Si !

En un éclair, Léo venait de s'en souvenir.

— On a oublié de le faire ! s'écria Félix, au comble de la panique.

· **ÉPILOGUE**

— ... et c'est comme ça qu'on a compris ce qui était arrivé aux sœurs Thomasson dans le village de Val d'Illex, qui s'appelait à cette époque La Grotte du Loup.

Léo patienta quelques secondes. Les autres élèves avaient eu droit à des applaudissements après leur présentation orale. Contrairement à lui, ils avaient lu un texte. Il jeta un œil vers Félix, debout à ses côtés sur l'estrade, devant l'assemblée. Il fixait le sol, l'air piteux.

Léo fit un pas en arrière pour s'éloigner du micro et signifier la fin de son intervention. À bien y penser, son improvisation de dernière minute n'avait pas été si laborieuse, même s'il s'était embrouillé dans les dates et les noms, commettant de grosses fautes de liaison. En général, il était habile pour récapituler les faits, mais les circonstances n'étaient pas habituelles... Le vaste auditoire le rendait nerveux. Les découvertes qu'il venait de décrire étaient si extraordinaires !

Pourtant, le regard de la directrice de l'école n'exprimait pas l'admiration. Madame Tournier se mordillait les lèvres, les yeux au plafond, comme si elle était gênée. Ce n'était pas pour rassurer Léo... Ce fut mademoiselle Lucie, l'un de leurs professeurs accompagnateurs, qui applaudit en premier, affichant un sourire forcé. Elle monta sur l'estrade pour parler au micro.

— Merci, messieurs Valois, déclara-t-elle. Cela clôt les présentations. Passons au goûter! Je vous invite tous à vous rendre au fond de la salle, où jus de fruits et biscuits au sirop d'érable vous sont offerts par le Québec! Régalez-vous!

Les applaudissements retentirent enfin dans le gymnase de l'école, transformé pour l'occasion en salle des fêtes. Léo soupira d'aise. Dès que la foule se leva pour profiter du buffet, mademoiselle Lucie s'approcha d'eux discrètement. Elle ne se forçait plus du tout à sourire.

— Je suis très déçue, Félix et Léo. Si vous saviez comme j'ai honte... Et cette histoire abracadabrante, Léo! Veux-tu me dire où tu es allé la chercher?

— Ce qu'il a raconté est vrai, mademoiselle! protesta Félix. Les documents qu'on a découverts et qu'on a montrés sont authentiques!

— Vous auriez pu exposer une vieille recette de muffin à la foule, elle n'y aurait vu que du feu!

— Et les bagues? lui dit Léo, vexé. On les a trouvées et elles sont authentiques, elles aussi...

N'écoutant que d'une oreille les reproches de mademoiselle Lucie, Félix donna un coup de coude à Léo pour l'inviter à regarder devant eux. Thierry, Sylvie et Julien

Morel s'apprêtaient à grimper sur l'estrade pour les rejoindre. Julien leur fit un clin d'œil complice.

Thierry avait promis de se porter à leur secours si la présentation se déroulait mal. En le voyant arriver l'air si confiant, Félix et Léo devinaient que la partie était gagnée, même si Thierry ne devait pas se montrer trop enthousiaste dans son éloge car, tel que le disait le *Malleus Maleficarum*, la défense trop vive de l'avocat des sorciers prouvait peut-être que celui-ci était ensorcelé...

· **NOTE**

Ce roman est une fiction. Toute ressemblance avec des personnages réels ou ayant existé est une pure coïncidence.

Certains éléments évoqués sont, cependant, authentiques. Ainsi, selon les historiens, la chasse aux sorcières a donné lieu à environ cent mille procès pour sorcellerie en Europe, du Moyen-Âge à la Renaissance. Cinquante mille exécutions ont été ordonnées au cours de la même période. En Franche-Comté, de 1434 à 1667, au moins sept cent quatre-vingt-quinze procès de sorcellerie auraient eu lieu, et ils ont débouché sur quatre cent treize mises à mort, cent cinq bannissements et cent quatre-vingt-deux libérations.

Le juge fanatique Henri Boguet a réellement existé, et ce qui est raconté dans ce roman à son sujet est véridique. Outre les nombreux procès de sorcellerie qu'il a instruits, il est célèbre pour avoir écrit un livre sur les sorciers et la chasse au démon publié à Lyon en 1602 et intitulé *Discours exécrable des sorciers*. Il y décrit les manières de reconnaître le Diable et d'intervenir face au *crime monstrueux*

de sorcellerie. Certains le surnommèrent le *brûleur féroce* parce qu'on lui attribuait plus de mille cinq cents victimes, ce qui ne fut jamais confirmé par les archives.

Les sociologues et historiens d'aujourd'hui s'entendent pour dire que la sorcellerie n'est ni une croyance ni une superstition. Elle est un mode de représentation du monde et des forces invisibles qui l'animent. Le sabbat est une invention des juges et des théologiens pour condamner le rite satanique.

Publié pour la première fois en 1486, le *Malleus Maleficarum* est devenu l'un des manuels de référence des chasseurs de sorcières. Les sorcières... ou plus précisément les femmes que les auteurs du *Malleus Maleficarum*, les inquisiteurs Institoris et Sprenger, se plaisaient à appeler ainsi.

Dans ce livre imposant, à la fois étonnant et révoltant, il est écrit que les femmes sont prédisposées à céder aux tentations du Diable en raison de leur faiblesse et de l'infériorité de leur intelligence. Le *Marteau des sorcières*, qui explique également comment procéder à la torture des accusées, se termine par ces mots: *Louange soit à Dieu, ruine à l'hérésie, paix aux vivants, repos éternel aux défunts. Amen.*

• • • • • • • • • • • • • • • • • **PROCHAINE ÉNIGME**

En visitant le Musée de la civilisation, Félix et Léo Valois découvrent une exposition sur les marbres de l'Antiquité. Ils participent au concours qui l'accompagne : élucider six énigmes liées au monde du marbre. Leurs recherches les mènent sur la piste d'une autre énigme encore plus mystérieuse : le vol de *L'orteil de Paros*, une œuvre d'art portée disparue qu'ils ont pourtant vue au cours de leur visite au musée. Est-ce que *Le pied de Paros* est la même œuvre ? Est-ce une copie ? De fausses pistes en découvertes, les frères Valois entreprennent des recherches qui les mèneront sur les traces de faussaires.

MIXTE
Papier issu de
sources responsables
FSC® C005834

Achevé d'imprimer
en septembre deux mille dix, sur les presses
de l'imprimerie Gauvin, Gatineau, Québec